看过此书之后，每当我要训孩子的时候，首先会考虑改变一种方式，先表扬后提出意见，这样孩子往往容易接受。孩子都是好孩子，教育方法不同，培养的孩子就不一样，从书中我得到了约束自己行为的力量。

——广东读者 吴欣茹（14 岁女孩的妈妈）

　　我迫不及待地在一周内读完了这本书，还做了重要内容的勾画与批注。这本书真是让我爱不释手、获益匪浅！

——北京读者 罗振刚（6 岁男孩的爸爸）

　　从这本书里，我学会了不少解决具体亲子沟通问题的方法，更重要的是我懂得了作为父母所应拥有的心态。

——沈阳读者 莫铁军（12 岁男孩的爸爸）

BA HUA SHUODAO
HAIZI XINWOLI

智慧父母自修书系

把话说到孩子心窝里

打造零距离亲子关系的66个秘笈

成墨初◎著

中国妇女出版社

图书在版编目（CIP）数据

把话说到孩子心窝里——打造零距离亲子关系的66个秘笈／成墨初著．
—北京：中国妇女出版社，2011.1
ISBN 978 - 7 - 5127 - 0172 - 4

Ⅰ．①把…　Ⅱ．①成…　Ⅲ．①家庭教育　Ⅳ．①G78

中国版本图书馆 CIP 数据核字（2010）第 247374 号

把话说到孩子心窝里——打造零距离亲子关系的 66 个秘笈

作　　者：成墨初　著
选题策划：应　莹
责任编辑：应　莹
插图绘制：吴晓莉
装帧设计：青华视觉
责任印制：王卫东
出　　版：中国妇女出版社出版发行
地　　址：北京东城区史家胡同甲 24 号　　邮政编码：100010
电　　话：(010) 65133160（发行部）　　65133161（邮购）
网　　址：www.womenbooks.com.cn
经　　销：各地新华书店
印　　刷：北京集惠印刷有限公司
开　　本：170×230　　1/16
印　　张：15.25
字　　数：220 千字
版　　次：2011 年 1 月第 1 版
印　　次：2011 年 1 月第 1 次
书　　号：ISBN 978 - 7 - 5127 - 0172 - 4
定　　价：25.00 元

自序

孩子成败决定于父母的"嘴"

这是一本告诉父母如何跟孩子说话的书。说话，是我们大多数人在3岁时就已经熟练掌握的技能，难道已经成年的父母还要学习如何跟孩子说话？

相信这是很多父母的困惑。

的确，很多父母并不知道怎么跟孩子说话，不然，我们的家庭教育就不会出现那么多问题。

我们来看下面两个事例。

事例一：

儿子喜欢上网。这次他已经上网很长时间，妈妈要求他不要再上了。

妈妈带着嫌弃的表情和语气对儿子说："别再上网了。你就知道上网，不知道学习，真是不懂事！去，学习去。"

儿子不满妈妈的管束，不满她颐指气使的说教和命令，心里很不快，就想："我就不学习，你能怎么着？"于是，他依然端坐不动。

妈妈见儿子不听话，火了："我说你听见没有？别上了，学习去！"

儿子也火了："我就不学习，我就上网。"

妈妈气得打了儿子一巴掌，儿子负气走出家门。

事例二：

儿子喜欢上网。这次他已经上网很长时间，妈妈要求他不要再上了。

妈妈温和地对儿子说："上网真的很好玩，我也喜欢上网。不过，上网时间长了，视力就会下降，到时候如果不戴眼镜认错了人多尴尬啊!"

儿子笑了。

"而且，上网时间多了，学习时间就少了。你的学习潜力很大，但如果不花时间去学，潜力就浪费了。而且，你肯定也希望有好成绩，有好前途，学习是最好的出路。"

妈妈说到这里，儿子懂事地说："妈妈，我知道了。我再玩10分钟就去学习。"

两位妈妈对孩子同样的要求，却得到了不同的结果，这就是由不同的说话方式造成的。

语言是父母向孩子传递自己的意图和观点的重要媒介，父母对孩子的教育很大一部分要通过说话来实现，这毋庸置疑。

然而，并不是父母说的每一句话都会被孩子接受。

在家庭教育中，父母对孩子说什么、怎样说、何时说、什么情况下说、以什么语气说，等等这些，都影响着孩子能否接受父母的话，影响着家庭教育的效果。

与孩子说话是一门艺术，有效的说话方式会造就成功的家教，培养出成功快乐的孩子。反之，则会带来失败的家教和有问题的孩子。

因此，父母们要学习掌握与孩子说话的技巧。

本书是我多年家庭教育的经验总结。通过自己身边的无数教子实例，通过自己的切身感悟，我总结了与孩子说话的各种有效技巧，以帮助父母们实现成功的家庭教育。

在本书的编写过程中，我得到了一些朋友的帮助和支持，他们是张玉霞、朱德傅、李秀丽、李彦芳、张建乐、烟爱民、赵光玲、程永虎、顾新民、刘江、张欣、王亚军、张振刚、黄秋月、游红云、张江江、李剑伟、郑道勃、周开宇、张振雷、赵学锋、赵光金、李风云、周伟等，在此一并表示感谢!

由于时间、经验及能力所限，书中可能有许多不当之处，恳请广大读者朋友们批评指正。欢迎关心孩子成长的父母及读者朋友提出有益的观点和建议，进行更深入、广泛的探讨。

成墨初

2010 年 11 月 11 日于北京

目 录 CONTENTS

第三章　说话要有温度，让孩子感觉到温暖

第四章　善于表扬，学会批评

第五章 开口闭口都是为了爱

第六章 说话不止是动嘴巴，更要动脑筋

把话说到孩子心窝里

第一章

孩子不听话，源于父母不会说话

妈妈始终都是爱你的

——比舌头更重要的是爱心

在孩子出现问题的时候，很多父母喜欢带着厌烦的口气不停地对孩子进行说教，甚至训斥、打骂，这是最要不得的。

有个小学二年级的男孩，曾对我抱怨说："成老师，我很讨厌我妈妈，她只爱我的学习成绩，而不爱我。"

我猜到了男孩的意思。在生活中，很多父母都把学习成绩作为对孩子采取不同态度的尺度，当做区分"好孩子""坏孩子"的标准。我问男孩："哦，你跟我说说，你妈妈怎么更爱你的学习成绩，而不爱你?"

男孩愤愤地说："上个礼拜，我考试只考了 69 分，我妈知道后，就对我一顿狠批。成老师，你是没看见我妈那种'凶神恶煞'的样子，没听到她说那么多烦人的话。每次我考试考不好，她都会说那些话，没完没了地给我上'政治课'。"

"哦，你妈都说了什么?"

"她说，我和你爸拼死累活地挣钱让你读书，你就考这么点儿分啊? 丢不丢人啊? 你不嫌丢人我还嫌丢人呢。你怎么就不知道羞耻呢，整天就知道疯玩，考试只考 69 分算什么能耐? 你能不能给我长点儿志气啊……"男孩一边用手指着旁边的一把椅子，一边学着妈妈的样子气愤地说。

"她眼里只有我的考试分数，我这个人根本不算什么。我考不好的时候她

就对我大呼小叫，考得好了就对我笑脸相陪。哎，我怎么摊上了这么一个妈啊？"

男孩"老气横秋"的样子让我不安，我理解他的苦恼。

"看得出来，你对妈妈的做法很不满，她的做法让你生气。其实你妈妈还是很爱你的，只不过她采用了不正确的方式。"我安慰男孩说。

有时候，我也会犯这样的错误，这种错误曾经带给我的女儿桐桐伤害。

那是在桐桐3岁的时候，因为刚上幼儿园不久，她还不太适应幼儿园的生活。有一天早上7点钟，该起床了。我一边穿衣，一边招呼桐桐起床。一会儿我要送她去幼儿园。

桐桐磨磨蹭蹭不肯起床，一副慵懒的样子。一会儿，她拿过小裙子摆弄起来，就是不往身上穿。我穿好了衣服，洗漱完毕，回来发现桐桐还没有穿好衣服，我就有点儿生气了："快点穿衣服啊，一会儿就迟到了。"

桐桐不说话，巴巴地望着我。我知道她是以此拖延去幼儿园的时间。

"快点儿穿衣服，你听到没有，再不快点儿你就迟到了，爸爸上班也会迟到。"我又一次催促她。

"爸爸，我不去幼儿园行不行？"桐桐的声音很小，但我还是听到了。

"不去幼儿园怎么行？快点儿穿衣服，一会儿送你去。"我皱着眉头一边说，一边整理着自己的文件包。

等我整理完了文件包，桐桐依然坐在床上，只穿了一件上衣。看到女儿"磨洋工"的样子，我真火了："你怎么回事啊？存心烦我是不是？"

桐桐看到我愤怒的表情，脸上充满了恐惧，我从来没跟她发过这么大的火。我不由分说，夺过桐桐的衣服，一边继续数落她，一边迅速给她穿上了衣服。

从送桐桐去幼儿园，到下午接她回家，一直到晚上吃饭时间，桐桐一直都闷闷不乐，不再与我一起玩，更失去了往日的活泼与快乐。

我很内疚，知道一定是我早上的态度伤害了她。

晚饭后，我与桐桐聊天，最后，她终于对我敞开心扉："爸爸，你是不是不喜欢我了？我听话的时候，你就亲我，抱我，我不听话的时候，你就吵我。"

我汗颜：我只喜欢孩子满足我的需求、达到我的期望时的样子，而这却伤害了女儿。

思考了一会儿，我对桐桐说："对不起，爸爸早上心情不好。爸爸仍然是爱你的。"说着我拥抱了她。

很多父母对孩子的爱常常附加很多条件，比如当孩子听话的时候，孩子学习成绩好的时候，当孩子各方面表现好的时候，父母就对孩子千般欢喜、万般宠爱。而当孩子不听话的时候，当孩子学习成绩差、有行为问题的时候，父母就不住地指责、训斥、责骂孩子，在语气、表情、动作中都透露着对孩子的不满甚至愤怒和嫌弃。

这其实是一种不爱孩子的表现，这种带着父母强烈情绪的说教常常是无效的。

有一次，桐桐因为好奇，把正开着的电脑给弄坏了。

　　妻子发现电脑被弄坏之后，有些生气，准备数落女儿一番。她情绪上来的时候，就喜欢唠叨。

　　"你怎么这么不小心啊！不是说不让你随便动电脑吗？你怎么就是不听话呢？你真气死我了……"

　　而女儿此时表现得很慌张，瞪着一双惊恐的大眼睛望着妈妈，又求助地望望我这边。

　　见状，正躺在床上小憩的我忙走上前去，问清了事情的缘由。

　　"你是不是把电脑弄坏了有些难过？"我蹲下来，问桐桐。

　　桐桐点了点头，回头看了看一片黑屏的电脑。

　　"没关系，电脑坏了我们可以拿去修，修不好我们就去买一台新的。但无论如何，我和妈妈都是爱你的。"我朝妻子使了个眼色，转身对桐桐说。

　　桐桐的表情这才放松下来，露出了笑容。

　　对于孩子来说，父母的爱心远比舌头更重要。

　　在孩子出现问题的时候，很多父母喜欢带着厌烦的口气不停地对孩子进行说教甚至训斥、打骂，这是最要不得的。

　　因为，这容易让孩子觉得父母爱的不是他这个人，而是他的行为和成绩，这种做法易打击孩子，让孩子感觉不到父母的爱。

　　因此，无论孩子做得好不好，父母都要表达出对孩子的爱，这样，孩子才更容易接受父母的教育。

你为什么不去学习

——没有身教，言教就是零

> 孩子更多的是靠模仿来学习的，父母常常会成为孩子最直接的学习榜样，父母有什么样的行为，孩子通过模仿习得父母相应的行为。

有一段时间，桐桐的姥姥姥爷从老家过来看我们。

姥姥姥爷来，桐桐很兴奋，因为姥姥带过桐桐很长时间，所以她们祖孙俩尤其亲热。

有一天，我在书房里看书，妻子在做饭，姥姥姥爷陪着桐桐一边看动画片，一边嗑瓜子。

突然，我听到妻子批评桐桐说："桐桐，你怎么乱扔瓜子皮啊？不是告诉你不要乱扔垃圾吗？"

桐桐辩解说："姥爷也扔呢！"

我闻声走出书房，发现桐桐眼前的地上已经扔了许多瓜子皮，而岳父那边的地上也有零星的瓜子皮。

妻子看了看父亲，又看了看女儿，"姥爷不是故意的，你是故意的，不要扔了啊！"

"姥爷就是故意扔的。"桐桐不服气。

岳父见状，赶忙将地上的瓜子皮一一捡起来放进垃圾筐："我不扔了，我不扔了。"

"姥爷是不小心把瓜子皮掉到地上的，桐桐也不是故意扔的。我们把它打扫干净好不好？桐桐再吃瓜子的时候就会把皮扔到垃圾筐里，对不对？"我指着地上的瓜子皮对桐桐说。

桐桐点了点头，听话地拿来笤帚和簸箕，开始将那些散乱的瓜子皮打扫干净。

这个事例让我想到，孩子尤其是年龄小一点儿的孩子，其行为更易受成人的行为而不是其语言教导的影响。

也就是说，成人的行为比语言对孩子有更大的教育力量，即身教重于言教。

因为孩子更多的是靠模仿来学习的，父母常常会成为孩子最直接的学习榜样，父母有什么样的行为，孩子通过模仿习得父母相应的行为。

朋友小王跟我说起过女儿婷婷的一件事情：

婷婷刚上小学三年级，也许是学习成绩一直不如意，慢慢地，她对写作业、学习开始产生厌倦。

婷婷妈妈在一家单位做财务，工作很轻松。每天晚上吃完饭，她收拾好碗筷，就开始坐在电视机前雷打不动地看电视剧。

婷婷也很喜欢看电视，但父母每天晚上都忘不了催促她写作业、学习。她只能在写完作业、看一会儿书之后才能看一小会儿电视。

一天晚上，妈妈又像往常一样，收拾完碗筷开始看电视，同时催促婷婷去写作业。

婷婷想看电视，就对妈妈说："妈妈，我看一会儿电视再去写作业，行不行？"

"不行，你得去写作业，去学习。"妈妈断然拒绝了女儿的要求，根本不容她商量。

婷婷很不快，撅着嘴巴。

"去啊，学习去。"妈妈对女儿的表现有些不满，手拿遥控器继续催促她，一边还用右手推女儿。

婷婷很生气。"你怎么不去学习？"她鼓起勇气质问妈妈。

妈妈没想到女儿会这么跟她说话，她想了一会儿说："学习是你的任务，我不用学习。"

"人家王媛爸妈每天晚上都和她一起学习，你怎么就不能学习？"婷婷说。

妈妈不知如何回答女儿，最后她还是说："你去写作业，写完作业再看电视。"

婷婷心里很生气，但只得闷闷不乐地去写作业。

我参加一次朋友的聚会时，席间，一对母女的举动引起了我的注意。

这个女孩8岁左右，吃饭的时候，她坐在妈妈旁边的座位上。

过了一会儿，小女孩突然站起身来，伸长胳膊准备去夹桌子另一边盘子里的菜，她上半个身子几乎都压在了餐桌上。

妈妈见状，悄悄拉了一下女儿的后衣襟，冲她皱了皱眉头。然后，我看到，妈妈附在女儿的耳边说了一句什么。

女孩放弃了夹远处的菜，坐下来。在客人们都举手夹菜的时候，女孩的妈妈也拿起筷子夹起自己眼前盘子里的菜，并示意女儿看。

女孩明白了妈妈的意思，她也拿起筷子，夹一口眼前的菜吃起来。

整个席间，妈妈都不再对女儿说什么，只是一边和朋友们交谈着，一边不时地夹自己跟前的菜吃。女孩受到了妈妈的影响，再也没有伸长胳膊去夹远处的菜，而是规规矩矩得像个小淑女。

一般而言，相对于耳朵听到的话，人们更容易记住眼睛看到的形象，孩子更是如此。也就是说，眼睛看到的比耳朵听到的内容更容易留在孩子的头脑中。

这就决定了父母对孩子的身教能起到比言教更大的作用。言教常常只能给孩子一个模糊的标准或观念，而身教却给了孩子看得见的细节标准，孩子更容易掌握这种看得见的细节。

如果没有身教，孩子就缺少可参照的行为样板，言教的效果也往往是零。因此，父母注重言教，但更要注重对孩子的身教。

你要好好读书

——空洞说教易让孩子反感

> 给明白道理的孩子讲道理，或给不明白道理的孩子长篇大论地讲道理，相当于让吃饱饭的孩子继续吃饭、让喝足水的孩子继续喝水，只会让他反胃甚至呕吐。

一次，我给一些父母做完家庭教育讲座之后，一位妈妈叫住了我，焦急地对我说："成老师，请你帮帮我吧！儿子今年刚上初一，我和他爸已经管不了他了，他现在变得跟我们越来越生疏，不听我们的话，不服我们的管教，不愿意接受我们的意见。现在，我的话他基本都不听了，好话赖话都不听，只要我一开口，他扭头就走。有一次，孩子不好好写作业，我给他讲道理，可他死活不听我的话。我气急了，说了他一句'我怎么有你这么个儿子啊'，可没想到他却对我说：'我怎么有你这么个老妈啊！真没劲。'真是气死我了，这孩子怎么这么没礼貌，这么难管啊！为了他，我可操碎心了。但我真不知道该怎么办了，成老师你给我支个招吧……"

从这位妈妈说话的态度和神态以及她描述的儿子的状况，我推测，她在家里一定喜欢对儿子进行说教，而且是非常"负责任"地说教。也许正是这种无法躲避的说教让儿子慢慢逃离了她。

我提出要听听儿子的想法。不一会儿，妈妈就把儿子带到了我面前。

男孩来到我跟前，开口就说："我烦死我妈了。她整天就知道对我没完没了地说教，总给我讲大道理，她怎么那么多道理啊？我耳朵都听出茧子了。"

听到儿子的抱怨，妈妈似有所悟，也许直到现在，她才明白为什么儿子那么排斥她的说教。

我趁机向这位妈妈提出："要减少对儿子的说教，发现儿子出现问题或差错，忍不住要给他讲道理的时候，想办法转身去干别的事情，等情绪稍微平静了再处理这件事。"

这时，男孩感激地看了看我。

空洞的说教很容易让孩子反感，尤其是对于青春期的孩子。

青春期的孩子很多道理都明白，只是他们可能控制不住自己不去做不该做的事情，或者缺乏经验或能力做好某件事情。

给明白道理的孩子讲道理，或给不明白道理的孩子长篇大论地讲道理，相当于让吃饱饭的孩子继续吃饭、让喝足水的孩子继续喝水，只会让他反胃甚至呕吐。这样空洞说教的效果可想而知，显然难以让孩子接受并心甘情愿地去执行。

有一次，在小区的广场上，我看到了这样一幕：

两个2岁多的孩子在一起玩。男孩拿着一把木质刀剑，女孩则双手抱着一个小人儿骑自行车的玩具。两个孩子的妈妈在一旁看着他们开心地玩，还不时地交谈着育儿经验。

突然，男孩伸手夺过女孩手中的玩具，女孩就哇哇大哭起来。

女孩的妈妈赶忙上前安慰女儿，男孩的妈妈也一步跨上前，伸手要夺过儿子手中的玩具还给女孩。接下来，她开始了对儿子的说教。

"你怎么能抢小妹妹的玩具呢？这是不对的，你知道吗？这样做不是好孩子。如果你希望别人不抢你的玩具，你就不要抢别人的玩具。你不希望别人从你手里抢东西，对吧？那么，你也不应该从别人手里抢东西。抢别人的玩具是不礼貌的，不礼貌的孩子谁都不喜欢，你不想做个不礼貌的孩子吧……"

这位妈妈看起来是个多话的妈妈，她足足对儿子说了两三分钟，而那个男孩则茫然地看了看已还给女孩的玩具，又看了看不停说话的妈妈。

妈妈这样的说教，对一个 2 岁的孩子来说，未免太烦琐、太冗长了，男孩恐怕是越听越糊涂，反而不知道该怎么做了。

一位初二女孩的妈妈曾跟我讲过这样一件事：

妈妈在家经常教育女儿要好好学习，好好读书，这有时候让女儿很反感。有一天，女儿不满妈妈总这样给她讲大道理，就不耐烦地问妈妈："我为什么要学习呢？"

"现在的社会，只有好工作才能赚钱，才能保证更好的生活。如果要想在将来得到一个好工作，现在就必须好好读书……"

"现在读好书，才能考个重点高中，考上重点高中以后才能上重点大学，毕业后也才能找到好工作。"女儿不耐烦地接过妈妈的话茬说。

这段话妈妈不知对女儿说过多少遍了，女儿都已经背得滚瓜烂熟了。此刻，她说完，就厌恶地瞪了妈妈一眼，照旧拿起她的 MP4 来听。有一次，女孩的舅舅到她家来。舅舅目前在一家外企做高管，很得领导赏识。

女孩问舅舅："舅舅，我为什么要读书呢？"舅舅是女孩的榜样，她很愿意听舅舅的话。

"我小时候不好好学习，到快要考大学了，着急了，发奋努力才考上了一所普通的大学。工作后，我感到自己学的知识太少了，工作上很吃力，就又考了在职研究生，还参加了一些专业培训。还别说，学的这些东西还真管用，只要用心学习，很多知识对工作以及对生活都帮助很大。"

舅舅短短的几句话，加上舅舅的真实经历做铺垫，女孩觉得自己好像醍醐灌顶一般，明白了学习的重要性。从那以后，女孩就开始努力学习了。

空洞的说教往往并不能说到孩子心里去，当然孩子也就难以遵照去做。因为孩子只有从内心里接受了某种道理、某件事情的时候，他才会心甘情愿地去做。

但很多父母喜欢给孩子讲空泛的道理，以督促孩子去做他们愿意让孩子去做的事情。这样的结果是父母辛苦，孩子也反感且不接受。因此，父母要放弃空洞的说教，学习如何将话说到孩子心里去，让孩子接受。

我说不过你

——能说会道未必传达真爱

在妈妈看来，自己持续不断地说，是在表达对女儿的关心，表达对女儿的爱。但是，女儿却未必感觉到了爱。

我认识一个初中女孩，她妈妈在小区里是众人皆知的能说会道的女人。母女俩在一起，个性表现得截然相反。妈妈伶牙俐齿，在妈妈面前女儿却常常噤若寒蝉。

有一次，我遇到了这对母女，妈妈一边慢悠悠地陪女儿走着，一边一刻不停地说着话。

"妈妈就你这么一个女儿，所以妈妈希望你快乐、健康、优秀，我愿意用我的所有换取你的幸福。你要争气，知道吗？"妈妈语速很快、口齿清晰地说。

女孩是个乖巧听话的女儿，听了妈妈的话，她点了点头。

"在学校里，如果有什么困难，记得找老师商量，找同学也可以，但要找那些处事能力强、品质优秀的同学商量，千万别找那些没什么本事又不知道学习的同学，不然你可能就会受到他们的不良影响……"

女儿抬起头看看妈妈，张了张嘴，似乎想插话，但妈妈依旧不停地说："有很多原本很优秀的孩子，因为与那些有不良行为的同学交往，甚至与社会上的不良少年接触，结果被带坏了。妈妈觉得你是个好孩子，千万不要与他们交往。知道吗？"

妈妈的话像一股水流，没有停顿和间歇。女孩没有回话，只是闭嘴不语，低头看着路。

"你们做学生不容易。但你也要知道，我们做父母的也不容易，除了天天上班挣钱供你读书吃喝，还要为你的学习、交友操心，你可不能让我们失望啊……"

此时，女儿已皱起了眉头，她多次想说话，但都没有说出口。最后，她只得大步向前走去，把妈妈甩在了身后。

我在想，也许在能说会道的妈妈面前女孩感到了一种压力，压抑了她表达的欲望；也许妈妈过多的话让她产生了反感。

在妈妈看来，自己持续不断地说，是在表达对女儿的关心、对女儿的爱。

但是，女儿却未必感受到了爱。是妈妈的伶牙俐齿破坏了她向女儿传达爱的氛围，破坏了女儿想要的自由。

随着孩子慢慢长大，尤其是进入青春期后，他需要的是自由的表达，自由地按照自己内心的准则去生活，而不是按照父母的管教和指导去生活。

· · · ●● ● ●● · · ·

这个女孩有一次跟我抱怨说，她其实很反感妈妈的能说会道，这让她因为自己的笨嘴拙舌而自卑。而且，妈妈总喜欢对她几乎所有的事情都进行评说，并在评说的时候对她进行指导。

女孩曾跟我说过一件事：

一天晚上，妈妈与女儿商量报兴趣班。

从内心说，女孩喜欢跳舞，她希望报一个舞蹈班。

起初，妈妈并不知道女儿想报什么班，她只是根据自己的想法说："我觉得你报个音乐班不错啊，音乐可以陶冶情操，可以发展你的形象思维和创造力、想象力，有很多好处呢。"

"我不喜欢学音乐。"女儿说。

"那就报个舞蹈班，女孩子学舞蹈对身材、对健康也有好处。"

这话正中女儿的心意，但嘴巴笨的她刚想开口说，妈妈又说话了："不行，学舞蹈不行，你现在的身材估计也不够格。而且，学舞蹈会很累，万一训练时摔伤了怎么办？要不报个绘画班吧！"

女儿的嘴巴总没有妈妈的嘴巴快，妈妈不停地说，女儿怎么也插不上话，心里的想法不知怎么说出口，很郁闷。

"那我们就报个绘画班吧！女孩子静静地坐在那里画画，多好啊！就这么定了啊！"最后，妈妈斩钉截铁地说，但她没有看到女儿不满的眼神和表情。

· · · ●● ● ●● · · ·

很多父母，尤其是做妈妈的，在孩子面前都比较能说，他们用一口伶牙俐齿对孩子进行种种教导，但有时候却并不能说到孩子心里去，甚至难以让孩子接受。这个时候，父母的教导就起不到什么作用了。

教育好孩子，父母并不一定要有一口伶牙俐齿，而是需要智慧的头脑，知道何时说、说什么、怎样说，知道如何将话说到孩子心里去。

我不是你的出气筒

——管好了你的嘴，甜了孩子的心

如果父母总这样管不住自己的嘴巴，就会因没有考虑到孩子的感受，而说出让孩子伤心的话来。这样的结果是，孩子往往会不听父母的劝告，不接受父母的教导。

在一本杂志上，我曾读到过这样一篇文章：

一位年轻妈妈婚姻不幸，离婚后，她的脾气变得很坏，读初中二年级的女儿也跟着遭殃。

妈妈话多，只要有不好的情绪，她就会管不住自己的嘴巴，不断地向女儿抱怨，抱怨她的爸爸如何不负责任，抱怨她如何不听话、不懂事。

"我怎么找了你爸这么个不负责任的东西，他有过好几次婚外恋，这些你都不知道，嫁给他我真是瞎了眼了……

"你也不成器，和你爸一个样。你就不能听话一点儿吗？我这辈子真倒霉，遇到你们这两个灾星。"

这两句话几乎成了妈妈的口头禅，她时不时地把这两句话搬出来，对女儿发泄自己的情绪。

软弱的女儿不知道该如何应对妈妈，不知道如何应对妈妈带给她的坏情绪，她只是在心里盘算着：该如何逃离这个家、逃离妈妈。

每次说过发泄情绪的话后，妈妈都会后悔，但每次情绪来了，又忍不住要说。

终于有一天，女孩离家出走了，给妈妈留下一张纸条，上面写着这样的话：

妈妈，我知道你是爱我的，但我不是你的出气筒，我讨厌你口无遮拦地跟我说那些话，这让我很伤心。我走了，不要找我，你不会找到我。

妈妈如梦初醒，才知道自己口无遮拦的说话方式伤害了女儿。

有些父母跟孩子说话时，常常会口无遮拦、无所顾忌，管不住自己的嘴巴，心里想到什么就说什么。

父母这样做，很多时候只是在发泄自己的不良情绪，而不是在教育孩子。

如果父母总这样管不住自己的嘴巴，就会因为没有考虑到孩子的感受，而说出让孩子伤心的话。这样的结果是，孩子往往不听父母的劝告，不接受父母的教导。

一位妈妈曾带着12岁的儿子来找我，请求我帮助他们解决沟通的难题。

"这孩子太拧了，像个犟驴，我和他爸的话他死活就是不听。他闷葫芦一个，我们问他什么话，他说都不说，还会跟我们甩脸子，这孩子怎么这么不懂事啊？"

在外人面前被揭了短，儿子脸上一阵尴尬，他白了妈妈一眼。最后，他向我哭诉道："我妈说话太随意了，想到什么就说什么，从来不考虑我的感受，我听了很愤怒，就什么话也不愿意听，也不愿意说。"

我找了个理由把孩子支开，想单独和妈妈谈谈。

"你的孩子造成这种状况，主要原因在于你管不住自己的嘴巴。"我毫不留情地指出了她的错误。

妈妈感到很迷惑："难道我说错了吗？"

"你想想，如果别人这样毫不留情地批评你、数落你，无所顾忌地指出你的错误，你心里会怎么想？"我启发道。

这位妈妈答不上来了。

"我给你提个建议，以后你每次发现自己想要埋怨、指责儿子的时候，你就赶快离开这个环境，离开孩子，找个地方平静一下你的情绪，借此来管住你的嘴巴。"

妈妈将信将疑地点了点头。

"在孩子面前，一定要管住你的嘴巴，这样孩子才会改变。"我强调了这一点。

妈妈想了想，答应试一试。

还有一位妈妈，也遇到了同样的问题，她给我打来电话说："我为了孩子，付出了一切，每天起早贪黑，任劳任怨，除了上班还要辛苦地照顾孩子的吃喝拉撒睡，还有学习。可这孩子满身的缺点，我给他指出来让他改正，他根本不听，还嫌我整天唠叨，我可是为了他好啊……成老师，你帮帮我，怎么才能让孩子听话？"

我说："我可以帮助你，但你必须按照我说的去做。如果你做不到，我也没办法。"

"行，你说，我保证能做到。"

"你在一星期之内，不要跟孩子说话，你就集中精力干自己的事，该干什么就干什么，该忙家务就忙家务，该忙工作就忙工作。"

"一个星期内不和孩子说话？这怎么可能？我不管他，他还不无法无天了？"这位妈妈听我这样说，马上反驳。

"如果你做不到，那我就没有办法了。"

"那好吧，我试试。"妈妈想了一会儿，答应试一试。

一个星期后，这位妈妈又给我来电话。

"成老师，真是太谢谢你了。这一个星期，我很努力地按照你说的去做了，你猜怎么着？"妈妈欢快的口气让我猜到，一定是好消息。

"我儿子慢慢变得听话了，有一次他还问我'妈妈你怎么了？怎么不说话了？是不是我哪里做错惹你生气了？我以后改就是了。'不过，这么长时间不说话，真憋死我了，总忍不住想说话。"

我在电话这边笑："你说得太多，说话时不顾孩子的感受，孩子就会反感，就容易与你对着干，你不说话反而激起了他的自觉性和积极性。"

"对对，以前我没有管好自己的嘴，忽略了孩子的感受，结果让他烦了。我管住了自己的嘴，孩子反而愿意听我说话了。"

"我以后知道该怎么做了。"最后，这位妈妈说。

我欣慰地挂断了电话。

很多妈妈在管教孩子时常管不住自己的嘴巴，她们往往只是在发泄自己的情绪。对喜欢通过说话来表达思想情感的大多数女性来说，管住自己的嘴巴需要付出努力。

首先，妈妈要学会控制自己的情绪，不要带着消极的情绪教导孩子。

其次，有负面情绪时，妈妈可暂时离开孩子，转移注意力去做其他的事情，借此管住自己的嘴巴。等情绪平静后，再教导孩子。这时，妈妈说的话就会比较客观且有效。

第二章

心中有爱，嘴下留情

我没有你这个儿子

—— 千万不要说气话

> 父母说气话总会伤害孩子，如果气话说得太绝，甚至会切断父母与孩子之间的感情。

在我上初中的时候，同村有一个与我同龄的男孩李斌，从小不听话，非常叛逆，为此经常惹父母生气，但是他很有个性。

有一天，我去门外倒垃圾，听到李斌和他的父亲正在吵架。

"儿子，把那些砖头搬到这边来。"父亲命令李斌。

也许父亲的口气有些霸道，李斌很不快，不满地回敬道："你凭什么命令我？要搬你自己搬。"

李斌的话惹恼了父亲："凭什么？凭我是你老子。你这小兔崽子，快点儿搬过来。"

"老子也没有你这么霸道的。"李斌早已对父亲的倚老卖老不满。

"你小子，翅膀硬了啊？总这样不听话，看我不收拾你！"父亲的权威受到了挑战，他大声咆哮起来，抄起一根木棍准备去打儿子。

李斌从小就是在父亲的棍棒之下长起来的，只要他稍不听话就会挨皮肉之苦。可是父亲的打骂并没有起多大的作用，打过之后李斌照样闯祸、与父母对着干、惹父母生气。

也许，这一次，父亲的举动又让李斌想起了自己被打的往事，他愤怒地冲着父亲嚷："你打儿子算什么本事啊？"

"我没有你这个儿子。"父亲也咆哮着说。

"好，这是你说的，我还不乐意当你儿子呢。"李斌就坡下驴。

第二天，李斌就离家出走了，父母也不知道他去了哪里。任凭他们发动亲朋好友找了一个月，也不见儿子的踪影。

父亲后悔不迭，就因为一句气话，结果让孩子放弃了学业、离开了家。

父母对孩子的爱，常常是深入骨髓的。正因为如此，当孩子达不到父母的期望时，很多父母对孩子就会恨到极点。

正所谓，爱之深，恨之切。

而对孩子说气话，常常就是父母对孩子切切的恨的一种表达。父母说气话总会伤害孩子，如果气话说得太绝，甚至会切断父母与孩子之间的感情。

曾在一部电视剧中看到过这样一个故事：

一个初中二年级的孩子在上网，下班回来的爸爸见到后，问儿子："作业写完了吗？"

儿子最烦爸爸说这句话，觉得他除了关心自己的学习和作业，很少关心别的事情。

"你烦不烦啊？怎么就知道作业？"儿子不满地说。

"你少啰唆，整天就知道上网，不知道学习，怎么这么没出息？"爸爸很恼火，一下子把网线拔掉了。

爸爸的做法也让儿子火了："我上上网怎么了？班上的同学都在上网，我怎么就不能上网？"

"你整天上网，还知道学习吗？以后不准上网了！再上网我就打死你。"爸爸一脸的凶相。

儿子被爸爸的话惹怒了。"你打，你打啊，反正我也不愿意给你学习，打死我，我就省心了，"儿子挑衅似的说，"你既然要打死我，我干脆就不学习了。"

爸爸也被激怒了："我怎么生了你这么个孽种？打死你。"说着，一巴掌重重地打在了儿子的脸上。

儿子没有躲闪，任凭爸爸的巴掌落下来，那一刻，他心里对爸爸充满了仇恨。

从此，这个男孩开始厌学、逃学，一次一次地去网吧上网，逐渐成了一个"问题孩子"，直到被勒令退学。

我记起了小时候发生在伙伴晓生家里的一件事：

我和晓生经常一起上下学，一起"摸爬滚打"。一个星期天，我到晓生家里去，一起坐在院门前用木棍做弹弓。

晓生的父亲当时正在磨镰刀，见我们在做弹弓，他有些不快，大着嗓门对儿子说："我说你就不能干点儿正经事吗？做这玩意儿有什么用？帮我们干点儿活，或者去看书学习，总比干这个强吧。净做些没用的事儿，越大越不懂事。"

父亲的话让晓生有些气恼，他马上反驳父亲说："我干这事怎么就没用了？我可以用它来打吃谷子的鸟，到时候你的谷子不就能多收点儿吗？"

见儿子与自己"抬杠"，父亲生气了，他认为儿子这是在"犯上"，这是他不能容忍的。

"你小子还嘴硬，哪有你这样跟老子说话的？老子的话你就得听着，不能违抗。"

"凭什么啊？"晓生不理父亲那一套，愤愤地说。

"凭我是你老子。"晓生父亲挥了挥手里的镰刀。

"哼，老子又不是皇上，你的话又不是圣旨。"晓生不惧怕父亲。

这下晓生父亲被激怒了，他冲儿子咆哮："你还来劲儿了你！你滚出去，别再回这个家。"

"滚出去就滚出去，这个家我还不愿待了呢。"晓生站起身来，撇下我一个人走了。

晓生这一走，就是一整天，这可急坏了他的母亲。

那一天，直到后半夜，村民们才在村外小桥的桥洞里发现了冻得瑟瑟发抖的晓生。而自此，晓生与父亲之间更多了几重隔阂。

• • • ● ● ● • •

对孩子说气话，并不能解决问题，只会伤害亲子间的感情。

父母要克服这一点，在面对教育孩子的难题时，绝不要不顾后果地通过说气话将情绪发泄给孩子。

对于习惯于说气话的父母，控制自己不说气话需要付出努力。父母要努力控制自己的情绪，不在教育孩子的时候发泄情绪。

你别唠叨了行不行

——话不在多，而在精

> 唠叨并不是一种有效的教育方式，它就像让孩子吃过多没有味道的菜肴，会让孩子没有胃口，甚至会让他反胃。

有一天，桐桐一个人在房间里疯狂地玩闹，我和妻子在客厅里看电视。

不一会儿，妻子站起身走进了桐桐的房间，随即就听到她大声嚷起来："哎哟，桐桐，你看你的房间乱成什么样子了？"

听到妻子的话，我也站起身来到桐桐的房间。只见，地上、床上、桌上都一片狼藉，大大小小的积木扔了一地，其他各种玩具、衣服、图画书等也都被扔得到处都是。

而桐桐，则坐在地上，抱着一只布制小熊玩偶冲着妈妈笑。

"你怎么搞的，怎么乱扔东西啊？衣服扔在地上多脏啊！彩笔扔在床上，你看把床单画了这么多道道，洗都洗不掉了……"

妻子一边捡起地上、床上乱扔的物品，一边数落桐桐。

"女孩子家要把房间、床铺弄得干净整洁，知道不？不然，你长大了谁娶你啊？来，快起来，把房间、床铺整理好。"

桐桐坐在地上一动也不动。

"快点儿动手啊，怎么不听话了呢？你这孩子，真让我操心。"妻子继续唠叨，桐桐已经皱起了眉头。

见状，我对妻子说："你别唠叨了。"

接着，我对桐桐说："桐桐，你现在不想收拾不要紧。等一会儿，你得收拾好啊，要不，别的小朋友看到你的房间这么乱，他们会笑话你的。"

桐桐欢快地答应了，继续玩她自己的。

• • • ● • • •

生活中，孩子若哪一点做得不合父母的心意，有些父母就喜欢不停地唠叨，特别是做妈妈的，更喜欢对孩子唠叨。

唠叨并不是一种有效的教育方式，它就像让孩子吃过多没有味道的菜肴，会让孩子没有胃口，甚至会让他反胃。

这实际上就是一种超限效应，对孩子的语言刺激过多，反而会让孩子产生反感，从而降低教育效果。

• • • ● • • •

我曾在电视上看到过这样一个小片段，一个贫穷人家的女孩在吃饭，不小心掉在桌上几粒饭粒，她将这些饭粒捡起来放到了垃圾筐里。

妈妈将女儿的举动一一看在了眼里，她对此小题大做，开始没完没了地唠叨起来："哎，我说你这孩子怎么把饭粒扔了？多可惜啊，真不知道珍惜。"

听到妈妈的话，女孩有些不以为然，辩解说："不就是几粒饭粒吗？不值得这么大惊小怪吧，况且它已经脏了，不能吃了。"

"几粒饭粒？你知道现在的米有多贵吗？我跟你爸挣钱容易吗？再说了，桌子每天都要擦干净，能脏到哪里去？吃了还能药死你啊？"

妈妈的话让女儿很反感。

"你这么不知道节约，以后结了婚自己过日子怎么办？要是婆家因此对你有了意见，到时有你的好日子过。"

"你扯到哪儿去了？"女儿对妈妈夸大其词的唠叨不胜其烦。

"我说得有错吗？我这是教育你好好过日子，免得你以后后悔。"

"你有完没完？"女儿愤怒了，饭都没吃完，"啪"的一下将饭碗摔在桌上，进了自己的房间。

妻子曾经是个喜欢对孩子唠叨的人，但当她发现，很多时候唠叨并不能改变孩子的行为时，就开始注意克制自己不去唠叨。

有一次，桐桐在看电视，我和妻子各忙自己的事情。

过了很长时间，我们都忙完了事情，桐桐还在看电视。电视上正在播放一部动画片，桐桐非常喜欢看。

妻子皱起了眉头，我明白她是嫌女儿看电视时间太长了。

"桐桐，你看电视看了多久了啊？"妻子问女儿。

桐桐没有说话，她基本还没有什么时间观念。

"我不希望你看太长时间的电视，这样你的眼睛会坏的。看完这个把电视机关掉好不好？"妻子蹲在女儿身边，看着她，很真诚、很认真地对她说。

桐桐看了看妈妈，也许是妈妈的认真和真诚让她受了触动，正巧动画片播放完了，桐桐借机跑去关了电视。

妻子和女儿相视而笑。

很多父母教育孩子时喜欢唠叨，甚至认为这是自己对孩子爱的表达。但即便这样，总对孩子唠叨，也是不利的。唠叨中有很多是没有意义、没有价值的废话，只会让孩子反感。父母要懂得克制，克制自己不去唠叨。

教育孩子，话不在多，而在于精，在于是否将话说到点子上，说到位，要给孩子适当的提醒和劝告。

秘笈8 上次月考你还有一门不及格
——别揭孩子的伤疤

如果父母对孩子的过失和失败持不接纳的态度，那么当孩子心中的这道伤疤再次被揭开的时候，孩子就会感觉很痛苦。

一天，我去表哥家，遇到表嫂在教育儿子永健。

表嫂拿起儿子的成绩单看了一眼，有些不高兴，说："你怎么搞的？怎么每次考试都不理想？你平时是不是不努力学习啊？"

永健不说话，只是低着头，他一定也在为自己的成绩而羞愧。

"你的成绩总是这么糟糕，上次月考你还有一门不及格，年前的考试只考了个倒数第10名，这次期中考试也只考了个20多名，你丢不丢人呀？你说你哪一次考试让我满意过，回你的房间好好想想，为什么成绩总是这么差。"

我还没来得及制止表嫂对永健的指责，快言快语的她就将上面这些话噼里啪啦地说完了。见到站在一旁的我，永健觉得很没面子，显得有些不知所措。

我连忙说："没事，永健只是还没找到适合自己的学习方法，他其实是很聪明的。"这话我是说给表嫂听的，也是说给永健听的。

等永健进了自己的房间，表嫂问我说："你说这孩子怎么就不争气呢？对提高孩子的学习成绩，你有什么办法吗？"

"首先，你不要当着别人的面揭孩子的伤疤，这会让他很没面子，也很打击他的积极性。"我直言不讳地对表嫂说。

表嫂似有所悟，点了点头。

孩子曾经的过失、曾经的失败，如果当时带给了他不愉快的体验，那这种过失和失败就会成为孩子心里的一道伤疤。

如果父母对孩子的过失和失败持不接纳的态度，那么当孩子心中的这道伤疤再次被揭开的时候，孩子就会感觉很痛苦。所以，父母不要轻易揭孩子的伤疤。

我在小学四年级的时候，有一次班里竞选班干部，那个时候，我特别想当班长，于是摩拳擦掌，跃跃欲试。可经过候选人竞选、同学投票，我最后还是落选了，这件事给了我很大的打击。

一连几天，我都无法从这件事情的阴影中走出来，想起这件事情就想发火。第三天的时候，我放学回到家，那天竞选班干部的情况又闯进我的脑海。妈妈见我无精打采，就走上前，关心地询问我："怎么了，发生什么事情了？"

我一边很委屈地跟妈妈说了竞选班长失败的事儿，一边还不停地埋怨同学们没有眼光。

妈妈始终静静地听着。等到我终于说完了，妈妈一把揽过我，把我抱在怀里，说："我知道你很难过，你要是想哭你就哭吧。"

我没有哭，因为妈妈的理解和拥抱，让我觉得没当上班长也不是什么大事。

"当不上将军的士兵也是好士兵，你当不当将军，妈妈都爱你！我知道你的作文很棒，打球打得好，你努力写出更好的作文、打好球吧，还要好好对待同学，这样同学们就会更喜欢你了。"

妈妈的话给了我很大的安慰和鼓励，之后，竞选失败的阴影在我心里逐渐散去。

小米是桐桐很要好的朋友，她的嘴角有一道疤痕。听小米妈妈说，那道疤痕是小米1岁半时摔伤留下来的。

小米脸上这道2厘米左右长的疤痕很明显，像一条白虫子趴在她的脸上。

如今，小米已经快5岁了，班上、小区里的一些成人或孩子有时喜欢拿她脸上的疤痕开玩笑。

这一天，桐桐、小米还有几个大一点儿的孩子在一起玩"过家家"的游戏。

游戏中间，小米和一个大孩子不知为什么起了争执，那个大孩子生气地指着小米的嘴角，大声说："我妈妈说了，你就是不听话才在脸上留下了这条白虫子。"

虽然年纪还小，但脸上的疤痕还是让小米很烦恼，被说到了痛处，她很不开心。

其他几个孩子听到这个大孩子的话，也都停止游戏，好奇地看着小米。小米一时间被孤立了。

在一旁观看孩子们游戏的我觉得此时小米很无助，就走上前去，蹲下来，对孩子们说："你们知道为什么小米的脸上有这道疤痕，而你们的脸上没有吗？"

刚才那个与小米发生冲突的大孩子说："因为她不听话。"

我摇了摇头，其他几个孩子都不说话。

"每个孩子都是被上帝咬过的苹果，小米脸上的疤痕很明显，那是因为上帝特别喜欢她的香味，所以咬了她大大的一口。"

听我这样说，几个孩子相继凑近了小米，要闻一闻我所说的小米的"香味"，然后有的孩子恍然大悟似的"哦"了一声，而小米的脸上则绽开了笑容。

孩子的缺陷、曾经的挫折或失败，有时会在他的心中留下伤疤。在孩子心灵上的伤痕还没有痊愈的时候，父母尽量不要揭孩子的伤疤，也就是说，不要借孩子的缺陷嘲笑他，也不要借他曾经的挫折和失败来教导或数落他。

父母要做的是，给孩子以安慰和鼓励，并继续用爱滋养孩子的心灵，让他心灵的伤疤逐渐消失。

你真是个废物

——鼓励而不是嘲讽

> 安慰是抚平孩子心伤的"药"，而嘲讽则是给孩子的心雪上加霜的"刀"，父母的嘲讽只会让孩子更难过，甚至让他对父母产生怨恨。

在看一本企业家的传记时，从书中我了解到了主人公小时候遇到的一件事：

这位企业家小时候比较喜欢唱歌，高兴的时候就吼上两嗓子。遗憾的是，他唱起歌来声音沙哑，五音不全，很难听。

每次他一开唱，同学们就会嘲笑他："哎呀，你别唱了，别污染了我们的耳朵，你这嗓子简直就是公鸭嗓子。"

不仅伙伴们会这样嘲笑他，连他的妈妈也嘲笑他。

在他读三年级的时候，学校举行合唱比赛，每个班级每个同学都要参与。

为了不给班级丢脸，按照班主任老师的吩咐和教导，在比赛前夕，他每天都在家练唱。

有一天，他又对着镜子练唱。正洗衣服的妈妈听到儿子的歌声，烦躁地对他说："你这是唱歌吗？简直就是猪嚎，少在这儿制造噪音！难听死了。老师怎么会要你上台啊？少你一个又能怎么样？这样上台多丢人啊！"

听了妈妈的话，他马上闭上了嘴巴，他想象不到自己的声音是多么难听，但妈妈的话和表情告诉他，自己可能真的不是唱歌的料。

比赛那天，虽然他也被要求上了台，但他没有开口唱，只是呆呆地站在台上，看着其他同学自豪地引吭高歌。

从此，这位企业家再也不唱歌了，他对唱歌逐渐失去了兴趣和信心。这甚至让他感到连去上学都很痛苦。

有一天，我去幼儿园接桐桐回家。

到了校园里，我看到桐桐和同班的丁丁，还有一个不知叫什么名字的男孩正在一起玩耍。

丁丁妈妈也已来到幼儿园接儿子。我和丁丁妈妈见三个孩子一起玩得正高兴，就在一旁看着，聊着有关孩子的话题。

突然，丁丁哇哇大哭起来。

我和丁丁妈妈转头一看，发现刚才丁丁手里拿着的变形金刚被那个男孩夺去了。被抢了玩具的丁丁很委屈，他站在原地大声哭，一边还转脸看向妈妈。

见丁丁受了欺负，妈妈赶忙走上前，刚才还晴朗的表情顿时转阴。

"你真行啊！他抢了你的玩具，你就不知道抢回来吗？真是个窝囊废、蠢猪。"妈妈推搡了丁丁一下说。

见此情景，我也走上前去，用眼神制止了丁丁妈妈对儿子的责备，蹲下来安慰丁丁说："他抢了你的玩具，你很难过是不是？叔叔知道你很难过。"

丁丁不说话，依旧大哭。

我告诉丁丁妈妈要安慰安慰儿子，不要嘲讽他。丁丁妈妈平静了一下情绪，安慰了儿子几句。

许久，丁丁才止住了哭声。

孩子知道自己做事情做不好或者受了别人的欺负，已经很难过了，他脆弱的心灵也许一时难以接受这种伤害。

此时，孩子需要的不是父母的嘲讽，而是安慰和情感的支持。

安慰是抚平孩子心伤的"药"，而嘲讽则是给孩子的心雪上加霜的"刀"，父母的嘲讽只会让孩子更难过，甚至让他对父母产生怨恨。

在桐桐上幼儿园时，有一年六一儿童节，幼儿园举办了一场文艺演出，

父母们都观看了这场演出。

桐桐和好朋友小米都要表演节目，桐桐唱歌，小米讲故事。

在一个孩子表演了舞蹈之后，桐桐开始上台表演节目。桐桐是个大方的孩子，台下那么多人，她也没有怯场，边舞边唱地表演完了节目。

台下的掌声持续了几秒钟，桐桐在掌声中骄傲地走下了台。看到女儿如此镇定自若，我也很开心。

坐在我旁边的小米妈妈对我说："桐桐真大方，你看她多讨人喜欢啊，不像我们家小米。"

我笑了笑，说："小米也很不错啊！"

一会儿，轮到小米上台了。

站在台上，小米突然不知所措起来，她揉搓着自己的衣角，不时看看台下的妈妈，扫一眼台下的家长和孩子。

大概是紧张得忘了词，小米始终没有开口讲。

老师不住地在舞台一旁鼓励小米，妈妈也给她鼓劲，但小米就是张不开口，扭扭捏捏地在台上磨蹭了几分钟，最后老师不得不把她领下了台。

小米回到了妈妈身边，很窘迫。女儿在台上出了丑，当妈妈的脸色也很难看。

"你真是个废物，丢死人了！"小米妈妈低声对女儿说，小米的眼睛里有闪闪的泪光，嘴巴咧开着。

见小米很伤心，我赶忙走上前去，安慰她说："你很难过，是吗？没有关系，你妈妈仍然是爱你的，我和桐桐也都喜欢你。"

我刚说完，小米就哇哇哭起来。我示意妈妈拥抱一下女儿。

小米伏在妈妈的怀里哭了一会儿，母女俩的情绪都稍稍平静了些，刚才的不快渐渐淡去。

台上的节目表演继续进行着，我们又开始饶有兴味地看起了孩子们充满童趣的表演。

· · ● ● · ·

孩子某事做得不好、做错了事，父母决不要嘲讽打击孩子，否则只会加重孩子的痛苦。

此时，父母要做的是：首先，设身处地地考虑一下孩子的感受，并通过语言、表情、动作等表达对孩子感受的理解和接纳；其次，给予孩子有效的安慰，让孩子内心仍有力量去面对新的探索和挑战。

就你毛病多

——要引导而不要指责

> 妈妈的指责不仅没有给女儿提供适应新环境的方法，更让女儿伤心的是，这种指责堵住了她不良情绪的出口。

桐桐的小姐姐咪咪学习成绩很不错，但是她刚上初中的时候，曾经出现过厌学的情绪。

在咪咪上初中还不到一个月的时候，咪咪妈妈有一次向我抱怨说，一直乖巧听话的女儿突然说不想上学了。

这可急坏了咪咪的父母，他们好说歹说地告诫女儿不要瞎想。

原来，咪咪就读于一所重点中学，那里强手云集，因此她学习压力很大。再加上刚到一个新环境，与同学、老师还不熟悉，还不适应新的生活环境和人际关系，为此咪咪心里很苦闷。

有一天，咪咪很不开心地向妈妈抱怨新学校的种种不如意，最后对妈妈说："妈，我不想上学了，除非你给我转学。"

妈妈不知道一向乖巧、成绩优异的女儿为什么会说出这些话，觉得她是到了青春期，开始有了逆反心理。

于是，咪咪妈妈就开始指责她："就你毛病多！你怎么就不能和同学、老师好好相处呢？你为什么不努力学习，去赢得老师的喜爱呢？你为什么不努力去适应新的环境呢？这些问题实际上都是你的原因造成的，你好好想想吧！"

但咪咪妈妈没有想到，她的这些话惹恼了女儿。她刚说完，就发现女儿很生气地瞪了她一眼，然后转身走进了自己的房间，使劲摔上了门。

咪咪妈妈不知所措，于是就来找我讨教教子良方。

实际上，咪咪的逆反是因为妈妈没有考虑到女儿的感受。咪咪刚进入一个新的环境，要适应它需要一个过程，她只是还不知道如何尽快地适应这个环境。

而妈妈的指责不仅没有给女儿提供适应新环境的方法，更让女儿伤心的是，这种指责堵住了她不良情绪的出口。

这自然会让女儿恼火，妈妈的教导显然也起不到任何作用。

桐桐的表姐婷婷读高中了。婷婷的学习成绩一直很不错，也一直是父母的骄傲。

可是最近一段时间以来，婷婷因为学习成绩优异，自我感觉良好，看起来有些骄傲，在学习上也开始懈怠。

婷婷妈妈发现了苗头，不免为女儿着急，就不时地提醒她要戒骄戒躁、不可懈怠学习，但婷婷却把妈妈的话都当成了耳边风。

婷婷的懈怠最终影响了她的成绩。在一次班里进行的数学测验中，她只考了 58 分。

拿着数学试卷，婷婷回到了家，脸上带着很沮丧的表情。

婷婷妈妈猜到了女儿考试考得不好，就在心里责怪女儿：你早干吗去了？说你你不听，这下吃到苦头了吧！但是，这些话她没有说出口，她觉得女儿已经很难过了，而且她也已经知道错了，就不想再责备她。

婷婷妈妈平静了一下自己的情绪，对女儿说："我知道，这次考得不好，你一定很难过。没关系，数学家华罗庚有一次数学考试也不及格。重要的是，你要好好想一想是什么原因造成的考试失利，要想明白你的学习出现了什么问题，下次注意避免这样的问题就行了。"

婷婷的脸有些红了，她似乎记起了前些天妈妈对她的教导，也似乎为自己学习态度的改变而后悔。

此后，婷婷又开始踏实认真地学习了。

在一家商店门外，我曾遇到一对母子，妈妈对孩子偷窃行为的处理方式吸引了我。

一个 5 岁左右的小男孩，跟妈妈在一家商店买东西时偷拿了一个卡通玩偶。他们离开商店的时候，妈妈发现了儿子手中多了一个玩偶。

对于儿子的错误行为，妈妈没有直接指责他，而是指着玩偶，耐心地与他进行了下面的对话：

妈妈："这个东西是哪里来的？"

儿子：……

妈妈："是不是刚才从商店里拿的？"

儿子：……

妈妈："你告诉妈妈实话，妈妈不会骂你的。"

儿子："嗯。是从阿姨（商店售货员）那里偷拿的。"

妈妈："如果别人偷拿了你的东西，你会觉得怎么样？"

儿子："我会很难过。"

妈妈："那你认为偷东西是对的还是不对的？"

儿子:"不对的。"

妈妈:"为什么是不对的?"

儿子:"因为阿姨会伤心。"

妈妈:"是的,阿姨会伤心,还有吗?"

儿子:"因为会被人抓住。"

妈妈:"这是一个原因,还有别的原因吗?"

儿子:"妈妈会因为我偷东西而不高兴。"

妈妈:"妈妈为什么会不高兴呢?"

儿子:"因为我偷拿了别人的东西。"

妈妈:"你说得对,你拿了别人的东西,这是不对的。那下面我们该怎么办呢?"

儿子:"我们去还给阿姨吧!"

妈妈:"好。以后再不要偷拿别人的东西了,好不好? 你想要什么,告诉妈妈。"

儿子:"嗯。"

妈妈自始至终没有对儿子说一句责备的话,却有效地帮助儿子认识到了自己的错误行为,并将他引向了正确的方向。

有时候,孩子意识不到自己的错误,或者意识不到自己的错误行为可能会带来的不利后果,所以孩子做错事情是在所难免的。

孩子做错了事,父母不要一味地批评指责孩子,这对于解决孩子的问题作用不大。

正确的做法是,父母要对孩子的行为进行引导,通过给孩子讲述这样做事的危害,讲述这件事正确的做法,让孩子明确为什么不能这么做,明确应该怎样做。

你必须赶快起床
——发号施令只会让孩子反感

> 对孩子发号施令，是父母在根据自己的意志安排孩子做事，体现了父母与孩子的不平等。

我清楚地记得，几年前看过一部电视剧，一位中国妇女在一个外国人家里做保姆，保姆和美国女主人对同一事件的不同处理方式给我留下了深刻的印象。

美国女主人有个4岁的儿子，他很喜欢画画。

一次，孩子的父母都去上班了，保姆在家照看4岁的孩子。

父母走后不久，孩子拿出自己的彩笔，开始在洁白的墙壁上涂画起来。

保姆心想：这套房子是新房，如果孩子将墙壁画得乱七八糟，主人回来还不把我骂得狗血喷头，不得把我给炒了啊！于是，她制止孩子在墙上乱画，可孩子并不听她的。保姆一次次生气地命令他、严厉地制止他："别画了，再画，我就不跟你玩儿了。""别再画了，再画我就告诉你妈妈，让你妈妈打你。""别画了，乖，听话，过来搭积木。"……

无论保姆怎样命令孩子，他就是不听，反而画得更起劲儿。

保姆此时真的"黔驴技穷"了。正巧，孩子的妈妈下班回家了。

看到儿子留在墙上的"杰作"，妈妈没有斥责他，而是蹲下身来，耐心地对他说："宝贝，你画得真好。"

儿子笑了。

"不过，你要是画在墙上的话，我们搬家的时候就不能带走，搬家后妈妈就看不到你的画了，好可惜啊！在墙上画画，墙壁也会疼的。如果你把它画在纸上，我们搬家的时候就能带走了，妈妈到哪里都能看到宝贝画得画。你说是吗？"

儿子听妈妈说得有道理，就对她说："我要画在纸上。"

这件事就这样轻松搞定了。保姆站立一旁看着、听着，很是惊讶。

表叔有两个儿子，都已经是初中生了，两个儿子与表叔的关系都不好，他们都不喜欢父亲。

一次，我去表叔家。趁表叔出去的时候，我问他的两个儿子："你们为什么不喜欢爸爸？可以跟我说说吗？"

大儿子小军先说话了："我最不喜欢他对我们下命令，让我们干活就干活吧，还像个领导似的整天命令我们，他又不是我们的领导。"

小儿子小强也附和着说："是啊，他整天就知道朝我们吼，'小军，你去把垃圾倒掉'，'小强，你把那个铁锨给我拿来'，'给我倒杯水'，他说话的口气烦死我们了。"

正说着，表叔回来了，他是个家长制意识比较浓厚的父亲，喜欢高高在上地命令孩子做这做那。

这不，这会儿表叔又对孩子下命令了："小军，你去把这个剪刀还给王大爷。"他威严的声音和口气不容商量。

小军也许是仗着我这个外人在，料想父亲不会把他怎么样，也许是心里积累了很多愤怒，这一次，他没有听从父亲的安排，而是反抗父亲道："凭什么你总这样命令我们？我们又不是你的奴才。"

表叔伸出手要打儿子，我制止了他。

我悄悄对小军说："你去把爸爸交代的事办了，我来跟他谈谈，让他改变教育方法。"

小军勉强同意了，拿起父亲手中的剪刀出了门。

对孩子发号施令，是父母在根据自己的意志安排孩子做事，体现了父母与孩子的不平等。

孩子是有独立思想和感情的个体，这种不平等的发号施令会让孩子反感，会伤害孩子的自尊。为了维护自尊，孩子就很容易反抗父母。因此，如果想让孩子愉快地接受自己的教育，父母首先要避免对孩子发号施令。

有一段时间，桐桐早上该起床时常常不愿意起床，妻子每天总要三番五次地喊她起床。

"桐桐，快点儿起床，快点儿起床！再不快点儿，去幼儿园就要迟到了啊。"

"桐桐，别磨蹭了，你必须赶快起床，我可没时间等你。"

"在7点钟之前，你必须穿好衣服，听到没有？"

每天早上，妻子诸如此类的话语就会不绝于耳，我听得都有些烦了。

但可惜的是，桐桐赖床不起的毛病依然没有改进。而且，每次妻子这样喊她起床的时候，她总会不高兴，皱眉、撅嘴，甚至发脾气、摔东西。

于是，我对妻子说："以后喊闺女起床的事儿交给我吧，我保证让她每天都乖乖地起床。"

妻子疑惑地看了我一眼，点头同意了。

第二天早上，我穿好衣服，来到桐桐的床边，轻轻地摇了摇她的胳膊，说："桐桐，来，起床好不好？桐桐是个乖孩子，会很快自己穿好衣服的，是不是？"

桐桐迷迷糊糊睁开双眼，看了我一下，又闭上了眼。

"桐桐，我们来比赛好不好，你穿衣服，我去洗脸刷牙，看谁先完成任务？"

女儿是个争强好胜的女孩，一听说要比赛，她来了精神，睁开了眼睛。

我又对桐桐重复了一遍我的话。明白了我的意思后，桐桐迅速地爬了起

来，爬到床的另一头扯过自己的衣服，开始穿起来。

见此情景，我赶忙起身，进了洗手间，开始洗漱。

过了一会儿，我正对着镜子刮胡子，发现桐桐的身影出现在了镜子里，正冲着我笑——她已经穿好了衣服。

"哎呀，爸爸输了，桐桐赢了。"我装出很沮丧的表情，而桐桐则一脸的灿烂。

父母要求孩子做某事时，若改"命令式"为"商量式"，效果就会大不一样。命令是不平等的，而商量则体现了父母与孩子之间是平等的关系。

在平等的前提下，孩子更容易与父母建立良好的亲子关系，更容易接受父母的要求和教导。

此外，在要求孩子做某事时，父母可通过表扬、鼓励、信任、趣味活动等方式，让孩子觉得父母要求他做的事情是有价值的、有意思的，这样孩子也愿意按照父母的要求去做。

你的虎牙太难看了

——忠言逆耳不利于行

孩子都有自尊心，父母的忠言太逆耳，会伤害孩子的自尊心，自然也达不到好的教育效果。

一天，我应邀给一所中学的某个班级做讲座，讲座结束时，一个叫小樱的女孩叫住了我，向我诉说她的烦恼。

小樱和兰兰是同班同学，也是同桌，她们俩一起上学、一起放学，课堂上一起讨论问题，课下一起玩耍，简直形影不离。

小樱有两颗突出的虎牙，一张嘴就很明显地露出来，有些难看，而且她说话的时候常常唾沫星子乱飞。兰兰不喜欢小樱的这些缺陷。

有一天，两个好朋友在一起交谈，兰兰随口说了一句话。就是这句话，让两个人的友谊走到了尽头，也让小樱的性格有了很大的转变。

"'兰兰对我说，你的虎牙太难看了，如果有做这样的矫正手术的，你去做一下手术吧。还有，你说话的时候别老吐唾沫，别人会觉得脏死了。'她这样说话让我觉得很伤心，她就是给我提个建议，也不能说话这么直啊！我不想和她做朋友了，她太不给我面子了。"小樱这样说。

而小樱从此真的疏远了兰兰，对她的态度突然来了个180度的大转弯。而且，小樱从此再也不愿与人交往，更不愿与人交谈了。

很显然，两个好朋友友谊的结束以及小樱性格的改变，都是源于兰兰犯了说话的大忌——说话太直，忠言太逆耳。

在家庭教育中，这种忠言太逆耳的做法也比较普遍。很多父母会觉得，孩子是自己的，说话直接也没什么关系。这种想法是错误的，孩子都有自尊心，父母的忠言太逆耳，会伤害孩子的自尊心，自然也达不到好的教育效果。

桐桐班里有一个名叫莉莉的女孩，是个表现欲很强的孩子。

有一天，我去接桐桐，正巧遇见莉莉妈妈也来接莉莉。老师正一手拉着莉莉的手，跟莉莉妈妈交谈着。我好奇地站在了旁边，想听听她们在说什么。

"莉莉很喜欢帮助老师做事情，每次到阅读活动的时间，她就要当老师的小助手，要求帮老师发东西。她在家里也一定很喜欢帮助您做事吧?"老师对莉莉妈妈汇报情况。

"是的。"莉莉妈妈笑着说。

"莉莉真是个爱劳动的好孩子。"老师又转向了莉莉。

莉莉自豪地笑了。

"不过，其他小朋友也想当老师的小助手，莉莉是不是也给其他小朋友一些机会，让其他小朋友也当一次老师的小助手呢? 这样，其他小朋友就会更喜欢莉莉了。"老师接着说。

"莉莉表现得很积极，今天和另一个小朋友抢着发书，可能是因为太着急了，结果把书给撕破了。如果她能给那个小朋友一个机会，书可能就不会被撕破了。"

莉莉妈妈明白了老师的意思，而莉莉在旁也好像明白了什么，看着老师不好意思地笑了。

桐桐小一点儿的时候，喜欢爬到沙发上，然后在上面蹦蹦跳跳。

那时，奶奶在照看桐桐。见孙女总爬到沙发上蹦跳，就时不时地劝她不要这样做，一是担心她摔下来；二是这样做总把沙发套弄得脏兮兮的。

也许是奶奶制止孙女的态度不够坚决，或者因为桐桐太喜欢在沙发上蹦来跳去，总之，奶奶软磨硬泡的劝阻都不能阻止桐桐的行为。

一天，桐桐吃完了饭，又穿着鞋子爬上了沙发，在弹性很大的沙发上开始跳。奶奶还没有吃完饭，她一手拿着筷子，一手抓住了孙女的胳膊，嘴里不住地说着："这孩子，怎么又爬上去了，快点下来！摔着你可不是好玩的。"

桐桐不理会奶奶，一边努力挣脱奶奶的手，一边无所顾忌地继续跳。

见此情景，我走上前去，伸开两只胳膊在沙发边的上方挡在桐桐的外围："桐桐，你很喜欢在沙发上跳着玩，是吗？"

桐桐点点头。

"可是，沙发是让人坐着休息的，不是用来踩在上面跳着玩的，在上面跳会很容易弄脏沙发，也很容易弄坏沙发。桐桐是个有爱心的乖孩子，是不是也要爱护沙发啊？"

桐桐停了下来，说："桐桐爱护沙发。"

"爱护沙发，那怎么爱护呢？"我启发桐桐。

"我不在沙发上面跳了，我在地上跳。"桐桐想了一会儿说，同时蹲下来，要溜下沙发。

"在地上跳！"我顺势把桐桐抱下来放在了地上，她放开我的胳膊开始在地上跳起来。

制止孩子去做他正在进行的不合理行为，很多父母习惯于直接否定、直接劝阻孩子。

进行这种劝阻的时候，父母很容易说出孩子不爱听的话，也就是逆耳的"忠"言。这样的"忠"言很多时候并不利于孩子改进自己的行为，反而有可能加重孩子相应的不当行为。

实际上，即使在进行这类劝阻时，父母也可用顺耳的话来表达自己的意思，让孩子爱听，而且乐意去执行父母的要求。

她还尿湿过裤子呢

——不要抖搂孩子的"糗事"

> 如果父母把孩子不愿意让别人知道的"糗事"当做笑料，拿来作为与人说笑的谈资，就很容易伤害孩子幼小的心灵，甚至会在他心灵上留下终生的伤痕。

雪莉是桐桐的好朋友，她与我们同住在一个小区，比桐桐大一岁，刚上小学一年级，经常来家里找桐桐玩。

这一天，雪莉又和妈妈一起来我们家玩。雪莉一进屋，桐桐就跑过去拉住她的手，牵着她去了自己的卧室。我们和雪莉妈妈则坐在沙发上聊起了天。

爸爸妈妈们在一起聊的最多的就是孩子，我们也不例外。

正聊着，桐桐和雪莉相跟着跑了出来，她们一人拿着一个纸花，都咋呼着跑向自己的妈妈，并向妈妈炫耀："妈妈，你看我折的纸花。"

此前，雪莉妈妈正说到自己的女儿，见女儿跑过来，就指着她笑着对我们说："这孩子有时也会做出一些让人摸不着头脑的事情，就在前几个月，她还上幼儿园的时候，她还尿湿过裤子呢！"

听到妈妈说自己的"糗事"，雪莉显然很不高兴，她尴尬地看了看我们，低下头去。

"她尿湿裤子后，没跟老师说，也没跟我们说，直到晚上要睡觉的时候我才发现她的秋裤是湿的。你说这孩子，她就是这么懦弱！"雪莉妈妈叹了口气。

此时，我发现，雪莉不再像先前那样活泼，她开始撅起了嘴巴，两手将纸花揉在了一起。我制止了雪莉妈妈，问雪莉："雪莉，来让叔叔看看，你折的是什么纸花？"

雪莉站在原地不动，依然低着头。我想，一定是妈妈的话伤了她。

"尿湿裤子"对已经有了自我意识的幼儿来说，是一件很私密的丢人的事，这样的事情被别人知道后，会让孩子感觉很尴尬。

而雪莉妈妈却口无遮拦，没有保护孩子的"隐私"，而是将孩子尿湿裤子当做一个笑谈告诉了别人，这自然会让孩子心生不快。

这种做法是父母们要避免的。

在我所住的小区里，有一个叫妍妍的女孩子，读小学五年级，体型比较胖。妍妍很为自己的体型自卑，沉默寡言，走路时总低着头，认识她的人跟她说话，她也只是爱答不理。

一天，我出门办事，正巧遇见妍妍和妈妈从超市买东西回来。妍妍手里拿着一个冰激凌在吃，妈妈则一手提着一大袋物品。

走近妍妍和她妈妈时，我摆了一下手和她们打招呼，妍妍妈妈笑着回应了我，而妍妍始终低着头吃冰激凌。妈妈见女儿这样不礼貌，有些不悦，就推了她一下，说："人家成叔叔跟你打招呼呢！"

妍妍不理妈妈。

为了帮助妍妍树立自信，我对她说："妍妍其实是很漂亮的。"

妍妍依旧低头不语。

妈妈对女儿的表现很不满，皱着眉头说："你说你这么胖了还吃，真是个饭桶，没出息。吃这么胖，丑死了，你就不能节制一点儿吗？"

然后，妍妍妈妈又转头对我说："这孩子愁死我了，本来已经很胖了，还特别能吃，有一次她自己就吃了3大碗米饭，比我和她爸两个人吃的都多。"

妍妍拿着冰激凌的手停住不动了，嘴里的冰激凌也含在嘴里不敢往下咽，窘得无地自容。

我明白妍妍最忌讳别人说她胖、说她吃的多，心里直责怪妍妍妈妈说错了话，一个孩子，对自己的缺陷本来就难过、自卑，妈妈的话无疑是在她的伤口上撒盐。

于是，我赶忙转移话题，大声说："我听说妍妍画画很不错，妍妍，你回家后能不能给叔叔画一张？"

妍妍有气无力地点了点头，显然妈妈刚才的话留给她的阴影还没有散去。

"我喜欢荷花，你抽时间给我画一张荷花怎么样？我听你妈妈说，你画得荷花很好看呢！"我一边说，一边用眼神示意妍妍妈妈。

妍妍妈妈急忙附和说："对对对。"然后，她转向女儿："我闺女画荷花很好，妍妍抽时间给叔叔画一张好不好？"

谈到了自己的长项，妍妍的眉头才稍稍舒展开了些。

妻子曾经跟我说起过她小时候的一件事：

妻子在读小学的时候，有一段时间，晚上睡觉特别不"老实"，常常不是抬胳膊就是动腿，会睡着觉突然打或踢妹妹一下。有时候，她还会将整个身体转 180 度都浑然不觉。

有一天，邻居大婶到她家来与岳母说话，闲聊中很自然地就聊到了孩子。

当时，她在妈妈旁边看书，她听到妈妈和大婶说起了自己。

"这孩子像个小皮猴，晚上睡觉特别不老实。有时候她会抬起胳膊狠狠地打妹妹一下，或者抬起腿踢妹妹一下。哎哟，笑死了。"

妈妈一边说，一边比画，一边大笑，像是在说一件特别好玩的事情。大婶也大笑起来，转头对她说："小皮猴，你晚上睡觉是不是不老实，总踢妹妹啊？"

妈妈和大婶的谈话和笑声让她觉得不舒服，她非常尴尬地低下了头，不知所措地摆弄着书页。

此后，妈妈又当着她的面在另一个邻居面前提起了这件事。

那个时候，父母们都希望女孩规规矩矩、老老实实，"小皮猴"是贬斥女

孩的话。妈妈的话让妻子当时很自卑，她心里对妈妈也产生了不满。

· · · ● ● ● ·

孩子在成长过程中，总会做出一些让父母感觉好笑的"糗事"，这常常会给孩子带来羞耻感，容易成为孩子的隐痛，孩子大都不愿意别人提及这些糗事。

如果父母不了解孩子的这一心理，偏偏把孩子不愿意让别人知道的"糗事"当做笑料，拿来作为与人说笑的谈资，就很容易伤害孩子幼小的心灵，甚至会在他心灵上留下终生的伤痕。

孩子的"糗事"常常会成为他的"禁区"，父母需小心，不要轻易触及它。

你不配当我儿子

——避免说过分苛责的话

> 父母说话过分苛责，会给孩子很大的心理压力，也难以使孩子更好地发挥自己的积极性和潜能。

一位父亲曾向我咨询有关孩子教育的问题。

这位父亲在单位是领导，他做事雷厉风行，领导能力强，有胆识，有魄力。但让他失望的是，11岁儿子的性格与他截然相反。儿子唯唯诺诺，没有主见，胆小怕事，不敢在众人面前表现自己。

有一次，几个亲戚带着各自的孩子来他们家聚会，这些孩子差不多都是小学阶段、初中阶段的孩子。

吃过午饭后，为了给孩子们一个锻炼的机会，有一亲戚提议，举办一次才艺展示会，让孩子们表演自己最拿手的节目。

很多孩子都大大方方地表演了自己最擅长的节目，或唱歌，或朗诵，或讲故事，或表演舞蹈，或说快板。

可轮到这个男孩时，只见他先红了脸，死活不肯上台，更不愿意表演节目，只是低头不语。

父亲见儿子如此"没出息""窝囊"，觉得很没面子，他气不打一处来，当着众多亲戚的面开始数落起儿子："你真不配当我儿子！你看看谁像你这么没用啊？真给我丢脸！"

父亲的话和扭曲的表情让男孩感到恐惧不安，使他更加不知所措。

这位父亲对我说，每次他看到儿子如此"不争气"，他的火气就大，就会严厉苛刻、毫不留情地批评、斥责他，甚至用刻薄的话损他，可儿子就是"不长进"，而且越来越"没用"。

这位父亲并不知道，是他对儿子的苛责、对儿子说话的刻薄，才最终让儿子如此与父亲的愿望背道而驰。

父母说话过分苛责，会给孩子很大的心理压力，也难以使孩子更好地发挥自己的积极性和潜能。

可以说，在孩子做事不理想时，父母说过分苛责的话，这已经不是教育了，而是对孩子的一种心理折磨。

一次，我去一个朋友家与他商讨图书出版的有关事宜，恰逢朋友的妻子在教育他们9岁的女儿。

据我的了解，这个女孩是个乖巧温顺、热爱劳动、学习成绩也不错的女孩，但她的父母似乎对她总不满意。

我到朋友家的时候，朋友的妻子正在教女儿洗碗、收拾厨房。

朋友到书房去找材料的时候，我在客厅里等待，可以清楚地听见女孩妈妈的话。

"你怎么连个碗都洗不干净？你看这里还有一粒米呢，留着它干什么？留着下一顿吃啊？你干什么都不利索，笨死了，真不知你是干什么吃的。"

一会儿，厨房里传来咣当咣当碗碟相碰的声音，接着又是女孩妈妈的责骂声："我说你弄这么大声音干吗？吵死人了！"

听不见女孩的说话声，只不时传来妈妈尖酸刻薄的咒骂声。我猜想，女孩一定在非常小心地做事，甚至恐惧得连大气都不敢出，唯恐做得不合妈妈的心意。

我坐在沙发上，有些不知所措，不知道该不该告诉女孩的妈妈要如何教育孩子，又怕她嫌我多此一举。

桐桐的同班同学小琴是个爱美的姑娘。最近，姑姑给她买了一条粉色的格子裙，裙子前面还有个大花的蝴蝶结，小琴非常喜欢，天天嚷着要穿那条裙子。

这一天，我去幼儿园接桐桐时，正巧遇见小琴妈妈因为裙子的事在训斥女儿。

原来，已经入秋很久了，那天天气也很凉，但小琴仍坚持穿了裙子。结果妈妈下午来接她的时候，发现她有点儿感冒，鼻子一抽一抽的，还流着鼻涕。

妈妈早有准备，她带来女儿的一件外套。见女儿有些受凉，就拿出外套要给她穿上。

但小琴死活不肯穿外套，个头已超过妈妈腰部的小琴看来力气还不小，她几次挣脱了妈妈强行抓住她的手。

当时，有很多家长已经来接孩子。

小琴妈妈当着这么多孩子和家长的面，制不服女儿，觉得很丢面子，于是，就很生气地训斥女儿："不就是条破裙子吗？穿了这条裙子就以为你是仙女了？也不看看你长得这丑样。就知道臭美，害不害臊？"

很多孩子和家长被小琴妈妈气急败坏的声音吸引了，都转头看向母女俩

这边。

受了训斥的小琴看起来很窘迫，她望望四周的家长和小朋友，望望自己的妈妈，咧开了嘴巴想要哭。

妈妈生气地拧了小琴一把，小琴果真咧开嘴巴哭了起来。

• • • ● • • •

当孩子做的事情不合父母的心意时，有些父母为了表达自己的不满和愤怒，就喜欢用尖酸刻薄的话来责备孩子。这是错误的做法。这不仅无益于教育孩子的成功，甚至还会对孩子的心灵造成某种程度的伤害。

所以，在家庭教育中，父母应尽量避免对孩子说过分苛责的话。即使孩子真的做错了，父母要批评他，也不可说得太过分，否则，只会适得其反。

我看你就是毛病多

——争论要适可而止

> 很多时候，父母与孩子争吵并不能解决问题，反而会使双方的情绪都恶化，更不利于问题的解决。

我读小学高年级快要升初中的那个阶段，忽然觉得很烦妈妈。

一天，我发现自己的球鞋破了个洞，就对妈妈说："妈，我的球鞋坏了，你再给我买一双吧。"

妈妈对我说："你已经长大了，要不我给你钱，你自己去买。"

我不同意。

"买双鞋还累死你啊？"

我不喜欢买东西，买鞋还要挑来挑去，怪麻烦的。

"那你想要什么样的球鞋？"妈妈见说不动我，就问。

"灰色的。"

第二天，妈妈却买来一双白色的运动鞋。

"你怎么买了白色的啊？我跟你说了我要灰色的。"我有些不高兴地说。

"哎，我说你这孩子。我让你自己去买，你不去，我给你买来了，你还挑毛病，你到底想怎么样？"

"我不想怎么样，我就是不喜欢白色的球鞋。"

"你故意找茬儿是吧？再说了，白色的有什么不好？还不一样是球鞋。"妈妈很生气地数落我。

"我没找茬儿，我跟你说过，我要灰色的球鞋。"我觉得自己很冤枉。

"什么球鞋不一样穿啊？我看你就是毛病多，你能不能听话点儿？"我真是有理辩不清，觉得妈妈简直是强词夺理。

"算了，我不穿了，你自己穿吧。"我很生气，扔给妈妈这句话，转身进了自己的房间。

"你这孩子，真不懂事。"我听到妈妈埋怨了这样一句。

我那天的心情很糟糕，其实妈妈买了白色的球鞋并不是最大的问题，而妈妈的话才是让我心情越来越糟糕的重要原因。

父母都希望孩子听自己的话，若孩子不服从自己的意愿，就容易与孩子发生争论或争吵。

很多时候，父母与孩子争吵并不能解决问题，反而会使双方的情绪都恶化，更不利于问题的解决。

桐桐从2岁多开始，变得有些逆反了，有时喜欢毫无理由地与我们争论。

这种争论有时让我们很恼火。

一天，我下班后刚回到家，桐桐就跑过来，抱着她的洋娃娃，一脸委屈地对我说："我的洋娃娃不说话了，我好伤心。"

我接过了桐桐手中的洋娃娃，摆弄了一下电源开关，没音，换了两节新电池，也没音，估计真的坏了。这个洋娃娃桐桐已经玩了快一年了，也该"退休"了。

于是，我对桐桐说："这个洋娃娃坏了，没法修了，我知道你很伤心。你要是喜欢，过几天我再给你买一个新的好不好？"

桐桐不同意，要赖似的对我说："我不要新的洋娃娃，我就要这个，我要让她说话。"

"可是她已经坏了，没法修了，怎么办呢？"我无奈地向桐桐摊开双手。

"她能够修好的，爸爸你给我修，我要她说话。"桐桐对这个洋娃娃的感情很深，此时她不甘心放弃。

桐桐央求了很多次，我也跟她解释了很多次，可桐桐依然不买我的账，嚷嚷着要我给她修。

"我说你怎么这么不听话呢？我跟你说过多少遍了，它不能修了。"

我几乎要发火了，开始训斥桐桐，她很委屈地哭了起来。

过了一会儿，我突然意识到：桐桐的表现可能是因为她太伤心了。于是，我就对她说："桐桐，对不起，爸爸知道你很难过，爸爸不该跟你吵，来，让爸爸看看，还能不能修？"

桐桐依旧大哭，我则拿起洋娃娃，很认真地拆卸开了装电池的盒盖，寻找问题的根源。

看到了我的举动，桐桐逐渐止住了哭。等我鼓捣一番后，洋娃娃依然哑然不语，我就很认真地对桐桐说："爸爸知道你很难过，你看，娃娃真的没法修了，你说怎么办呢？"

桐桐停止哭泣，拿起娃娃看了看，想了一会儿，最后对我说："爸爸再给我买一个吧。"

我爽快地应了一声。

有一天，桐桐看见莉莉穿了一件漂亮的连衣裙，就跟我和妻子嚷嚷着也要买一条。

就在这之前，妻子刚给桐桐买了一条粉色的连衣裙，就不想再给她买了。

"我不是刚给你买了一条连衣裙吗？怎么又要啊？"妻子不解地问女儿。

"我想要嘛，莉莉的那条裙子好看。"

"可是你已经有了很多裙子了。"

"我就是想要莉莉那样的。"桐桐开始耍赖了。

"不行，要勤俭节约，懂吗？我们家又不是开银行的。"

"可我的裙子都不好看，莉莉的那条裙子好看。"

"好看管什么用，好看又不当吃。不能买。"妻子开始生气了。

"明天我不去吃麦当劳了，我要裙子好不好？"今天早上，妻子许诺桐桐明天带她去吃麦当劳的。

"你怎么这么难缠、这么不听话啊？我怎么说，你才会听啊？"

"就要一条，行不行？"桐桐软硬兼施，看来她太想要那样一条裙子了。

"就一条？你还想要几条啊？太贪心了吧？半条也不行。"妻子丝毫不让步。

"妈妈不讲道理。"桐桐很生气地说。

"你这孩子，还说我不讲道理，是谁不讲道理啊？你有这么多裙子了还要，就是讲道理了？"

见母女俩如此激烈地争论，我赶忙喊妻子："老婆，快点过来帮个忙，看看我的后背上有什么，特别痒。"

妻子这才停止与桐桐的争论，来到我身边。

"没事，你这样跟女儿争论是没有用的。等你气消了，再心平气和地跟她讲道理。"妻子来到我身边，我笑着对她说。

很多时候，父母与孩子无休无止的争论，只是在一次次地发泄自己的情绪。而人在有情绪的时候争论，有效的沟通就难以达成。

所以，如果父母或孩子出现了某种不良的情绪，而双方又发生了争论，父母要注意避免争论继续下去。

此时，父母可离开事发地或离开孩子一会儿，想办法让自己的情绪平静下来，等情绪平稳之后，再找机会跟孩子讲道理，对其进行教育。

妈妈去给你买糖吃

——"善意"的谎言当慎说

许多年后，我逐渐明白，这种许诺物质奖励以激励孩子努力学习、努力做事的做法，其实是笨拙甚至无效的。

我读小学的时候，父母对我的学习寄予了很高的期望，想尽办法鼓励我好好学习，许诺物质奖励就是他们常用的一种方式。

三年级上学期，妈妈对我说："你学年末考试若考到班级前三名，我就奖励你一副乒乓球拍子。"

那时，乒乓球拍子是喜欢打球的我非常渴望的。在我的好朋友们眼中，这也是一件珍贵的物品。

我开始更加努力地学习，也满心期待着乒乓球拍子。

三年级升四年级考试，我考了班级第二名。然而，妈妈去了一趟镇里的商店，回来却告诉我说："乒乓球拍子卖光了。"

我失望之极。

四年级时，我学习的劲头下降，成绩也跟着滑坡。

小学五年级时，为了鼓励我考上镇里的重点中学，爸爸对我说："你考上乡镇的重点中学，我就奖励你一支英雄牌钢笔。"

那个时候，一支英雄牌钢笔对于做学生的我们，也是身份和地位的象征，我对此充满了向往，对爸爸的话也信以为真。

当我终于考上了乡镇的重点中学，爸爸以英雄牌钢笔太贵、家里没钱等为借口，没有兑现自己的"诺言"。

那之后，我对父母的话开始将信将疑，无论他们说什么，我都不再相信。我心中对父母产生了许多怨恨，在学习上也开始懈怠。

• • • ● ● ● • • •

后来，我逐渐明白，这是很多父母惯用的激励孩子的"小伎俩"。而年少时的我，却将此当真。

当父母找借口没有兑现自己的"承诺"时，我觉得自己深深地受到了伤害，那种伤害父母看不见，却影响了我的心情，进而在一定程度上影响了我的学习和生活。

许多年后，我逐渐明白，这种许诺物质奖励以激励孩子努力学习、努力做事的做法，其实是笨拙甚至无效的。

• • • ● ● ● • • •

在后来教育女儿的过程中，我也曾无意中使用过这种"欺骗"的方式迫使女儿"就范"，结果犯了一次错误。

那是一个秋天的周末。我因为赶出书任务要加班，可桐桐却死活缠着我陪她去公园玩。最后，我被缠得没有办法，就哄她说："宝贝，今天爸爸必须要加班，明天我带你去公园玩好不好？"

在我强调了好几遍自己的承诺之后，桐桐勉强同意了。

其实我知道，第二天我也不可能带女儿去公园玩，因为第二天我仍旧要忙出书的事儿。心里期盼着，第二天桐桐能把去公园玩的事情忘记。

到了第二天，桐桐躺在自己的小被窝里还没起床，就冲我嚷嚷开了："今天爸爸要带我去公园玩。"

我一惊，想起了自己前一天的"承诺"。想了一会儿，我与桐桐商量说："今天妈妈带你去公园玩，好不好？爸爸真的有事情要办。"

没想到桐桐丝毫不让步："不嘛，我要爸爸妈妈都陪我去公园玩，你昨天说过的。"为此，她大发脾气，希望我改变自己的决定。

我被这件事弄得烦躁不堪，忍不住发火了："你听话不听话？不听话爸爸就打你。"

只有 3 岁的桐桐望着我，她不明白为什么一向和颜悦色的我突然发了那么大的脾气。

桐桐一下子止住了哭声，不再说话，只是惊恐地望着我，像个犯了大错、等待惩罚的孩子。

那之后，很长时间，桐桐都不愿意与我一起玩，甚至每次我开始对她说话，她都有些慌张。

我知道，我伤害了女儿，我很歉疚。

用"哄骗"让孩子听话，这是很多父母惯用的手段。这样的事情在桐桐小时候，还发生过一次：

一个星期天，妻子有事要去一个朋友家，不到 2 岁的桐桐死活要跟着去。妻子不想带她，就对她说："桐桐乖乖地在家等妈妈回来，妈妈给你买草莓吃。"

草莓是桐桐最爱吃的水果，听妈妈这样说，桐桐勉强同意了，在家和奶奶一起玩起了拼房子的游戏。

妻子走后不久，桐桐站起身跑向门口，踮着脚尖打开了门，向外看了一会儿，又失望地关上了门。

那时，我还不明白桐桐的这些举动。直到过了一段时间，桐桐问我："妈妈怎么还不回来啊?"

我理解了桐桐刚才的举动，她其实一直在盼望妈妈回来，盼望妈妈给她买草莓吃。

直到下午 3 点多钟，妻子才回家。此时，桐桐还在睡午觉。

我发现妻子没有买草莓回来，就嗔怪她食言，可妻子只是淡淡地说:"别那么较真，我只是哄哄她，她可能早忘了吧!"

我将桐桐当天的表现告诉了妻子，妻子明白了我的意思，就抓起刚挂上墙的背包又出门去了，她要给桐桐去买草莓。

· · · ● ● ● · · ·

在很多父母看来，孩子还小，不懂事，为了让他听话，使用"善意"的谎言哄骗孩子，让他安静下来，这未尝不可。

但实际上，孩子会把父母的每一句话都当真，并牢牢地记在心里。

如果父母只是哄骗孩子，许诺了某件事却没有兑现，这就会对孩子造成一定的伤害，使他不再信任父母，继而产生不安全感。

要避免这种不良后果，父母要尽量对自己说的每一句话都负起责任，而不要轻易用谎言哄骗孩子。

你到底干什么去了

——拒绝针锋相对的质问

> 这样的质问打击了孩子的自主性和积极性。事实上，即使孩子说了谎，父母对他的质问也是不恰当的，这只会让孩子反感，激发亲子之间的对立和矛盾。

一天晚上，我有事去一位朋友家，正巧遇见朋友对儿子皮皮大发脾气。

皮皮读小学五年级，是个爱调皮捣蛋却不爱学习的孩子。那一天，皮皮放学后很长时间才回到家。

"你这孩子，怎么才回来？你说你去干什么了？"我进门的时候，听到朋友正在严厉地质问儿子。

"我去同学家写作业去了。"皮皮书包还没来得及放下，看来是刚刚到家。

"去同学家写作业？谁信呀？你哪天写作业不是我们催着赶着才写？怎么这回倒自觉了？"朋友撇了一下嘴，显然不相信儿子的话。

"我就是去同学家写作业了。"皮皮理直气壮地说。

"你回家晚不是一回两回了，别给我找理由。你实话告诉我，你到底干什么去了？是不是又在外面做什么坏事了？"

"我没骗你，我真的去同学家写作业了，不信你打电话去问问我同学。"皮皮很委屈，气呼呼地对父亲说。

见状，我忙走上前，小声对朋友说："可能你真的冤枉你儿子了，他变好了，难道你不高兴啊？"

朋友疑惑地看看我，又看看儿子，没再说话。

而皮皮则狠狠地瞪了父亲一眼，转身进了自己的房间，"嘭"的一声关上了房门。

事实证明，皮皮那天真去同学家写作业了。

这个男孩的改变或许是因为他开始进入青春期，对自己的事情有了更强的自主性和积极性。而他的爸爸却根据自己以往的经验判断他的行为，并严厉地质问他。

这样的质问打击了孩子的自主性和积极性。事实上，即使孩子说了谎，父母对他的质问也是不恰当的，这只会让孩子反感，激发亲子之间的对立和矛盾。

我上小学的时候，有一段时间，电视上正在热播《小兵张嘎》。

我非常喜欢看这部电视剧，每天放学回到家，第一件事就是打开电视机。

为此，那段时间，我的作业常常不能按时完成，或者只是草草地敷衍了事。为这事，妈妈没少批评我，每次一看到我在看电视而没有写作业，她就很生气。

有一天，我正津津有味地看《小兵张嘎》，突然听到了妈妈的脚步声。为防止妈妈发火，我赶紧把电视关掉，要跑进里屋。

妈妈进门后，似乎看出了我的异样，板着面孔问我："你是不是又看电视了？作业写了吗？"

"我没看电视。"我急忙说，但有点儿心虚。

"还说没看？我问你，写作业了吗？"

我没留神，不知道妈妈摸了一下电视机，大概她发现电视机外壳还有点儿热呢，就更加严厉地质问我："你说你看没看电视？写没写作业？"

我不敢看妈妈咄咄逼人的眼神，自知理亏，不敢说话。

"你别想狡辩，我知道你一直在看电视。去写作业去，别再让我生气了。"妈妈朝我挥了挥手。

那一天，我写作业的心情完全被破坏了，妈妈的质问始终在我耳边回响，像个小锤子敲打着我的心。

• • • ● ● • •

我知道父母这种说话方式对孩子会有伤害，在教育桐桐的过程中就力求避免这种做法。

桐桐曾经学过一段时间的钢琴，那时，妻子希望桐桐能够考级。于是，我们要求桐桐每天练习钢琴至少半个小时。

但有一段时间，桐桐不想练琴了，大概是对钢琴不再好奇、新鲜，感觉练琴疲倦了，就有意无意地偷懒。

每天妻子下班回家前后的半小时，是桐桐的练琴时间。但有一天，妻子回到家，发现桐桐没练琴，就问她："桐桐，你今天怎么没有练琴?"

桐桐没有说话。

妻子有些生气，她对女儿的钢琴考级看得很重。

见妻子要开始"教导"女儿，我急忙制止了她。然后转身问桐桐："你今天不想练琴是吗?"

桐桐点了点头。

"为什么不想练琴了，能告诉爸爸吗?"

"练琴不好玩，没意思。"

"哦，是这样啊。那等你想练的时候再练好吗?"我这样对桐桐说，我不希望练琴成为孩子的负担，而希望成为她的一种乐趣。

桐桐高兴地同意了。

• • • ● ● • •

当孩子没有按照父母的意愿或安排去做事时，很多父母可能会难过，会希望孩子"顺从"自己。

孩子"违抗"父母的意愿时，父母绝不要只是简单地质问孩子为什么这样做，质问只会将孩子推向父母的对立面。

这个时候，父母要与孩子平等地交流，了解孩子的真实想法和真实意愿。在这个基础上，父母才有可能做出正确的教育决策。

你爸爸不要你了

——玩笑话不能无所顾忌地说

> 对孩子，有些玩笑话父母是不能无所顾忌地说的。很多时候，小孩子分不清成人话的真假，这样就可能会对孩子的心灵造成难以磨灭的伤害。

我曾在一本杂志上读到过一篇文章，其大意是说，一个五六岁的男孩的父亲长期在外地出差，只有节假日才回来看看妻子和孩子。因此，这个男孩对于父亲的印象比较模糊，与父亲的感情也不够深厚。

在幼儿园，有的小朋友有时会在男孩面前谈论自己的爸爸，炫耀自己的爸爸多么"了不起"、多么"伟大"。

而这个男孩却常常说不出自己爸爸的任何事，这让他变得自卑、内向、沉默。

有一天，一个邻居发现这个男孩独自在玩耍，就想逗逗他，于是他对男孩开玩笑说："孩子，你爸爸不要你了。"

男孩一惊，惊恐地望着邻居，站在那里不知所措。

从这一天开始，男孩变得更加自卑、沉默，很多时候都心事重重，全然没有同龄孩子的活泼与活力。

后来有一次，这个邻居又一次跟男孩开玩笑说："你爸爸不要你了。"

这一次，男孩突然哇哇大哭起来。邻居莫名其妙，急忙安慰孩子，孩子却越发哭得厉害，直到妈妈赶到，男孩才止住了哭声。

从那以后，男孩很怕这位邻居，一见到他就恐惧地躲到妈妈身后，或者远远地跑开，仿佛他是一只凶猛的老虎。

而且，男孩也不希望别人再谈论自己的爸爸，一听到"爸爸"这个词，他看起来就很难过。

这位邻居并不知道，他的玩笑话让男孩觉得，爸爸真的抛弃了自己，他可能会认为爸爸是因为不爱自己才不回家的。

纵然，因为爸爸不常在自己身边，男孩的心灵已经有了某种程度的伤害，而邻居的玩笑话又加重了对孩子心灵的伤害。

可见，对孩子，有些玩笑话父母是不能无所顾忌地说的。很多时候，小孩子分不清成人话的真假，这样就可能会对孩子的心灵造成难以磨灭的伤害。

在小区的花坛旁边，我曾看到过这样一件事：

一位妈妈带着 2 岁的女儿在散步，小保姆也跟随其后。

这时，女孩发现了一只停在一朵花上的花蝴蝶，她很好奇，就停住了脚步，伸手去抓蝴蝶。

在女孩的手刚要伸到那朵花上时，蝴蝶扑闪了一下翅膀，飞了起来。不一会儿，它又落在了另外一朵花上。

女孩的目光跟随着蝴蝶，挓挲着两只小手，继续追逐它。蝴蝶飞起又落下，女孩乐此不疲地不停追赶它。

到了快中午的时候，妈妈想回家了，她对女儿说："宝贝，我们该回家了。"

女孩不理睬妈妈，继续追逐蝴蝶。

见女儿不听话，妈妈一步跨上前，抓住了她的胳膊，以不容商量的口气说："走，我们回家了。"

女孩大叫着，奋力要挣脱妈妈的大手，眼睛看着蝴蝶飞去的方向。

"听话，该回家了。"妈妈不松开抓住女儿胳膊的手。

女孩大发脾气，使劲要掰开妈妈的手，两脚还努力地要向蝴蝶飞去的方向挪动。

女儿的倔强让妈妈很生气，妈妈赌气似的说："你自己在这儿玩吧，妈妈回家了。"说着就松开手，独自朝家的方向走去。

女孩不理妈妈，继续朝着蝴蝶飞的方向奔去。

就在这时，小保姆走向了女孩，拉住她的胳膊，开玩笑地说："你看，妈妈走了，妈妈不要你了。"

女孩回头发现妈妈真的转身要走，就停住了脚步。

保姆继续笑着说："妈妈不要你了。"

这时，女孩"哇"的一声哭了起来，不再去追赶蝴蝶，而是转身去追赶妈妈。

•••●●●•••

我曾经给桐桐买过一款拼插玩具，是在一个有很多小孔的塑料板上，插上一个个形似小蘑菇的东西，以组成某种图案。

桐桐非常喜欢这款玩具，每天抱着它，一手抓着一把五颜六色的小蘑菇，一手不停地向塑料板上插，甚至连饭也不吃、觉也不睡了。

那一天，已经到了午饭时间，妻子已经做好了饭，她一面招呼婆婆、桐桐和我吃饭，一面端上一盘一盘的饭菜。

等我们都坐在了饭桌旁，发现桐桐还趴在沙发旁聚精会神地玩着拼插玩具。

桐桐奶奶发现后，走过去，对孙女说："桐桐，该吃饭了，吃完饭再玩好不好？"

桐桐不理奶奶。

奶奶又劝说了几次，桐桐仍然不为所动。这与桐桐的一贯表现不同。往常，每到吃饭时，她总会乖乖地来吃饭。

大冷的天，饭菜一会儿就凉了，见女儿不来吃饭，妻子站起身，走到她身边，一边假装要收起玩具，一边对她说："先吃饭，不玩这个了，好不好？一会儿饭菜就凉了。"

桐桐见妈妈要收起玩具，就撅起了嘴巴，停住了插蘑菇的手，奶奶趁势收起了玩具。

桐桐被抱到了饭桌旁，但依然撅着嘴巴，赌气不吃饭。

奶奶见状，夹了一口桐桐爱吃的菜，一边刮了一下她的脸，一边开玩笑地说："哎哟，我孙女的嘴巴可以拴头驴了。"

桐桐因不高兴撅嘴巴时，奶奶喜欢说这句玩笑话，但是桐桐不喜欢听。此时，她更是恼怒，伸手打掉了奶奶夹给她的菜，把头扭向一边，揉着眼睛。

奶奶急忙跟孙女道歉，我和妻子也好说歹说，劝女儿吃饭。

过了好久，桐桐才漫不经心地开始吃饭。

很多时候，孩子分不清成人是在跟他开玩笑，还是在跟他认真地说话，他很容易将成人的玩笑话当做真话。

孩子的心是纯真、敏感而稚嫩的，如果成人玩笑话说得过了，可能就会对孩子造成某种伤害。

所以，父母在与孩子开玩笑时要适度，玩笑的话不能无所顾忌地说，要考虑到孩子的理解能力和接受能力，避免让孩子产生误解从而受到伤害。

有本事回回考第一

——千万别鸡蛋里挑骨头

父母如果忽视孩子身上的大部分优点，却指责孩子微不足道的小缺点，并通过语言、表情、动作等表达出对孩子的不满，孩子就容易对自己丧失信心，积极性也会受打击。

小学三年级第一学期期末考试，我第一次考了个全班第一名，语文99分，写了一个错别字丢了一分，数学100分。

当时，老师在班上大力表扬了我，说我学习比以前更认真努力，进步很大。获得了优异的成绩，得到了老师的肯定和表扬，同学们也非常羡慕我。

那一天，我心里乐开了花，盼着快点儿放学，想尽快回家把这个好消息告诉爸爸妈妈。

放学了，我背起书包就冲出了教室。

还没到家门口，我就迫不及待地从书包里拿出试卷。进了家门，就冲着妈妈大喊："妈，今天我考了第一名。"

听到我的话，妈妈没有如我想象得那样兴奋，她只是表情淡淡地接过我的试卷看了看。

沉默了一会儿，妈妈对我说："第一次考第一也没什么了不起，有本事回回考第一。"

我的心一下子变得沮丧起来，心想："我的妈呀，为难死我了。"

"你看看，这个字怎么写错了呢？怎么这么不细心？你要知道，考大学的时候，错一个字差一分就可能考不上了。"

"还有，你的字写得太潦草，这样的话，考大学的时候也有可能会扣你的分。"

"以后，记住了，考试的时候要细心一点儿，认真一点儿，别让不该丢的分丢了，知道吗？"

妈妈接着又"谆谆教导"了我一番，而我则在一旁心烦得要命。

妈妈的话一度让我丧失了对学习的热情，我已经很努力了，可还是得不到妈妈的肯定，感觉学习好累啊！

桐桐5岁的时候曾画过一幅画，是要交给幼儿园参加绘画比赛的。她画的是一幅有房子、有树和小花、有溪水和白云，还有牛羊的风景画。

在我看来，对于桐桐这个年龄段的孩子来说，那是一副很完美的画，虽然只是粗线条的画，但各种景物安排得错落有致，色彩浓淡均匀，线条流畅。

桐桐画完画后，我表扬桐桐说："桐桐很棒，你画得很好，说不定会受到老师和小朋友的欢迎。"

桐桐很得意，双手拿着自己的画作不停地看，脸上满是骄傲，仿佛得了大奖一般。

这时，妻子走过来，拿起桐桐的画看了看，微笑着赞许地点了点头。

但仅仅过了一会儿，妻子就收敛起了笑容，指着画中那个房子的门说："我觉得这个地方不好，你看，这个门的门框太窄了，与房子不协调。"

这一点，其实我也看出来了，但觉得这点儿小问题无伤大雅。

"不好看，不好看，桐桐，你还是改一下吧。不然，可能获不了奖。"妻子连忙说。

听妈妈这么一说，桐桐的情绪也有些低落。

这幅画要是改的话，肯定会留下涂改的痕迹，可能会更糟。于是，我对妻子说："没事，这样不挺好的吗？"

"好什么啊？我看着觉得很别扭。不过，要是改的话可能也改不好。哎呀，真是可惜，这下看来获奖没希望了。"妻子沮丧地说。

妈妈的表情让桐桐也很不快，我赶忙安慰她说："没事，没事，桐桐已经画得很好了，老师和小朋友会喜欢的，即使获不了奖也没有关系。"

桐桐这才拿起画，折了一下，把它放进了自己的小书包里。

有些父母，对孩子有过高的要求，过度追求完美，就像在鸡蛋里挑骨头，不允许孩子有一点点错误或瑕疵。

所以，即使孩子做得已经很好了，这些父母看到的往往也只是孩子做得不好的地方，哪怕只是微不足道的小错误，他们看不到孩子做得好的地方。

父母如果忽视孩子身上的大部分优点，却指责孩子微不足道的小缺点，并通过语言、表情、动作等表达出对孩子的不满，孩子就容易对自己丧失信心，积极性也会受打击。

因此，父母要杜绝对孩子做的事情"鸡蛋里挑骨头"。

与上述做法截然相反的是下面故事中妈妈的做法，这位妈妈的故事曾让我十分感动。

幼儿园老师对一个孩子的妈妈说："你的儿子有多动症，在板凳上连3分钟都坐不了，你最好带他到医院看看。"

因为全班50名小朋友，只有这个孩子表现最差，唯有对他，老师表现出不屑。

然而，妈妈却对这个孩子说："老师表扬你了，说你原来在板凳上坐不了1分钟，现在能坐3分钟了。全班只有宝宝进步了，其他的妈妈都非常羡慕宝宝的妈妈。"

孩子上小学了，一次家长会上，老师对妈妈说："全班50名同学，你儿子考试排第40名，我们怀疑他智力上有些障碍，你最好能带他去医院查一查。"

这一次，妈妈回到家，对坐在桌前的儿子说："老师对你充满信心，她说了，你并不是个笨孩子，只要能细心些，就会超过你的同桌，这次你的同桌排在第21名。"

就这样，一个在老师眼里有问题的孩子，一个不被老师喜欢和看好的孩子，他的妈妈却用欣赏的眼光、用"放大镜"寻找着他身上的闪光之处，不断激励他。

最终，这个孩子在妈妈的激励下，考入了清华大学。

没有人是完美无缺的，成人是这样，孩子也是这样。

既然这样，父母就要接受孩子成长中的不完美，不要对孩子要求过高，不要对孩子的小缺点斤斤计较，做出"鸡蛋里挑骨头"的傻事。

要求孩子做事完美无缺是不现实的，父母要接受孩子成长的这种状态，要像上面这位妈妈一样，即使孩子看起来一无是处，也要努力寻找他的优点，并以此激励他。

把话说到孩子心窝里

第三章

说话要有温度，让孩子感觉到温暖

我猜，你一定很恼火

——谈心更要抓住孩子的"心"

> 这位父亲想与儿子谈心，但他没有抓住儿子的心，结果，儿子对父亲封闭了自己的心扉。

在一本有关家庭教育的书籍中，我看到过这样一个事例：

一个离异的单亲父亲长时间在外出差，他把 6 岁的儿子交给爷爷奶奶照顾。

虽然工作很忙，但这位父亲对儿子非常关心，几乎每隔三两天就要打电话回家询问儿子的情况。

每次，父亲都希望能在电话中跟儿子好好说说话。

这一天，父亲又一次打电话给家里，接电话的正是儿子。

父亲很高兴，觉得自己婚姻失败，很对不起儿子，决定好好跟儿子谈谈心。

"儿子，最近在家里乖不乖？学习认真不认真？"爸爸开口问儿子。

"嗯。"儿子在电话那头简略地回答着父亲的问话。

"有没有惹爷爷奶奶生气？"爸爸又问。

"没有。"

"最近有没有考试，考得怎么样啊？"

"这段时间吃饭有没有挑食啊？"

这一次，没等爸爸说完，儿子就对爸爸说："爸爸，你等一会儿，我让奶奶来接电话。"儿子放下话筒，去喊奶奶了。

爸爸觉得很沮丧，他更希望直接和儿子交流，儿子还显稚嫩的声音是他的希望和寄托，只要能多听听儿子的声音，他就会充满力量。但儿子似乎不愿意与他交谈。

儿子不喜欢与父亲交谈。也许，这位父亲并不知道问题出在哪里。实际上，在上面这个例子中，是父亲与儿子交谈时所说的话堵塞了孩子的心门。

这位父亲张口就只问儿子的学习和生活，并没有关心儿子的快乐和烦恼，也许这正是缺乏父母关爱的儿子不喜欢的。这就是说，这位父亲想与儿子谈心，但他没有抓住儿子的心，结果，儿子对父亲封闭了自己的心扉。

表哥的儿子永健有一段时间曾跟我抱怨，他与父母几乎无话可说，有时甚至有要逃出家的想法。永健曾跟我说起过一件他与父母之间发生的事情：

在初二的时候，永健觉得父母只关心自己的学习和生活，不了解他的苦乐、不了解他的真实想法，于是他决定跟父母好好谈谈。有一天，永健鼓起勇气对妈妈说："妈，我想跟你谈谈。"

听到儿子说要跟自己谈谈，永健妈妈很高兴，这是她求之不得的。她觉得，儿子主动与自己交谈，这说明他把妈妈当做了知己。可是母子俩坐下后，永健却又嗫嗫嚅嚅不知道如何开口。见儿子不知从何谈起，妈妈就主动提起话头："你最近学习怎么样？"

"还行。"

"英语课学得怎么样？这可是你的弱项。"妈妈嘴快，没等儿子迟疑，又问。

永健不知道怎样回答妈妈的话。此时，妈妈又急忙说："没关系，好好听讲，课下多下点儿工夫，英语就一定能学好。"

永健妈妈似乎担心谈话冷场，她努力地维持谈话的进行，只要儿子有些许的迟疑，她就急忙找话头。然而，妈妈并不知道，永健那时想谈的话题并不是学习，他希望跟妈妈谈谈自己的快乐和苦恼，谈谈自己的理想和追求，谈谈自己想学萨克斯的想法。

可惜的是，粗心的妈妈并没有发现儿子语言行为之外的含义。而永健当时也担心妈妈拒绝他学萨克斯，而没有勇气开口。毕竟，学萨克斯要花一大笔钱，还要花费大量的时间。

"你以后只要好好学习就行了，学习之外的事情你不要想。你要知道，只有考上好大学，才是你唯一的出路。"

说完这些，妈妈停顿了一会儿，永健趁机对妈妈提出了自己的想法："妈，我想学萨克斯……"

"学什么萨克斯，只有好好学习才是正道。"没等儿子解释，妈妈就一口回绝了他。妈妈的拒绝让永健很懊恼，他猛地站起了身，转身进了自己的房间，"嘭"地关上了门。

这次所谓的谈心，以母子俩不欢而散结束。从此，永健对父母关闭了心门，几乎什么话都不与他们说了。

· · · ● · · ·

桐桐虽然还小，但我会经常很认真地与她谈心，并逐渐养成了一种习惯。我觉得，这是了解女儿，从而更好地对她实施教育的前提。

往常，桐桐很喜欢跟我谈心，每次，她总会不停地跟我说她遇到的各种有趣的事情，常常越说越兴奋。但是有一次，之前因为一件事桐桐做错了，我对她发了脾气，桐桐一直为此不高兴。晚上，我要和她谈心的时候，她似乎还在生我的气，不愿意与我交谈。

我发现了桐桐的微妙情绪，就温和地询问她："桐桐，告诉爸爸，你是不是还在生爸爸的气？因为爸爸对你发了脾气。"桐桐闭着嘴巴不说话，看着我。

"桐桐，因为爸爸发脾气，你是不是还很难过？可能还有点儿恨爸爸，或

者有点儿怕爸爸。爸爸知道错了，爸爸当时心情不好，不该对你发脾气，你原谅爸爸好吗？爸爸仍然爱你，希望能与你谈谈心。"

　　我走近桐桐一步，耐心地对她说。见我的态度诚恳，桐桐才一点点消除了戒备，她的表情逐渐放松了下来。不一会儿，我们的交谈就越来越融洽了。

•‥•••●•••‥•

　　这件事情让我意识到，与孩子谈心，只有真正抓住孩子的心，交谈才会更有效。很多时候，父母在与孩子交谈时，常常不理解孩子的心，只顾自己、无的放矢地对孩子说话，结果很多话都说不到孩子心里去，让孩子很反感。这是很多父母容易犯的错误。

　　要避免犯这个错误，父母就要设身处地地考虑一下孩子的内心所想，了解他的真实想法，并在交谈中尽可能谈及孩子内心所想的事情，谈及孩子真正关心的事情，这样的谈心才会更有效。

别难过，妈妈在你身边

——用安慰之语给孩子温暖

> 　　安慰孩子的话，一定要从关心孩子情绪情感的角度去说，以缓解孩子的紧张焦虑和伤心痛苦。

　　桐桐很喜欢去姥姥家玩，因为姥姥家有蚂蚱、蝴蝶、小鸟和五颜六色的花草等各种好玩的东西。

在桐桐 3 岁多的时候，一次国庆假期，妻子带着她去了姥姥家度假。

假期快要结束的时候，我去看望岳父岳母，顺便接妻子和桐桐回来。临走时，桐桐说什么也不回北京，妻子和姥姥催促她时，她伤心地哭了，独自抹着眼泪，嘴里还不住地说："我不回北京，我要住姥姥家，我要住姥姥家。"

见桐桐如此伤心，妻子赶忙安慰她说："妈妈知道你不想离开姥姥家，知道你离开姥姥家会很难过。其实，妈妈也不想离开姥姥家。但是，爸爸妈妈要回北京上班，桐桐还要上幼儿园，不离开姥姥家，我们什么也做不了。幼儿园里不是有很多小朋友们吗？你可以和他们一起玩啊！你到北京后要是想姥姥了，就给姥姥打电话，或者我们再回来看姥姥，或者让姥姥去北京看我们也行，好不好？"

经过妻子不断的安慰，桐桐渐渐止住了哭，情绪逐渐平静了。

最终，桐桐擦干眼泪，顺从地穿好了自己的外套，然后高高兴兴地跟姥姥姥爷说了再见，与我们一起上路了。

在生活中，孩子也时常会遇到不如意，面临正常的欲望不能满足的痛苦。这种痛苦是正常的，对于孩子来说也是不能缺少的。

少了这种痛苦，孩子就不能培养出健全丰富的情绪情感。

当孩子面临痛苦的时候，父母要做的是，尽可能地陪伴孩子经历和体验这种痛苦。还有，父母要用安慰的话给孩子以温暖，让孩子明白，痛苦是他生活中不可避免的，即使再痛苦，父母也会永远在他身边。

一次，桐桐跟我们去奶奶家，正巧邻居家的一位姐姐来了，桐桐就和她玩了起来。临走，姐姐用一张红纸给桐桐折了一只漂亮的纸鹤，这只纸鹤形象逼真，很有立体感，姐姐还用黑色笔恰到好处地在其头部画了两只眼睛。

桐桐很喜欢那位姐姐，也很喜欢她折的纸鹤。回北京时，桐桐要将纸鹤带上。一路上，她都将纸鹤小心翼翼地捧在手里，生怕放在包里压坏了。

回到北京后很长时间，这只纸鹤一直是桐桐的宝贝，她每天都要拿出来仔细端详一会儿，然后才小心翼翼地放在床头。

一天，妻子打扫卫生时没注意，不小心将纸鹤连同从桐桐床铺下收拾出来的五颜六色的废纸归到一起，当垃圾扫了出去。从幼儿园回来的桐桐发现纸鹤不见了，急得大喊："妈妈，我的纸鹤呢？"妻子这才猛然想起自己早上打扫桐桐的床时将纸鹤也当垃圾扔掉了。

妻子赶忙向桐桐道歉，桐桐听说纸鹤被扔掉了，伤心地哭了起来。妻子很愧疚，急忙说："对不起，妈妈错了。妈妈再给你折一个好不好？"

听到桐桐的哭声，我也赶过来，见她很伤心，我走上前，抱起她，安慰她说："你是不是还想要姐姐折的那个纸鹤？那个纸鹤没有了，你很伤心，对吗？"

桐桐哭得更大声了。

"你伤心就哭一会儿吧。"我继续抱着桐桐，妻子也歉疚地拍着她的背。

过了一会儿，桐桐大概哭够了，逐渐停止了哭泣。妻子忙说："等我们再去奶奶家的时候，再让姐姐给桐桐折纸鹤，现在，我们俩一起来折纸鹤好不好？"

桐桐脸上带着泪珠，轻轻地点了点头。

还有一次，我带桐桐去吃肯德基。在肯德基旁边的玩具店，桐桐喜欢上了一个会说话唱歌、穿着花花绿绿衣服的大娃娃。

桐桐突然站在娃娃面前不动了，从她的眼神中我看得出，她很想拥有它。

果然，不一会儿，桐桐指着娃娃对我说："爸爸，我想要这个。"

"我们不要这个好吗？家里已经有好几个娃娃了。这个娃娃很贵，爸爸没带那么多钱。"我看了看玩具上的标价对桐桐说，我不想让女儿这么奢侈。

但桐桐似乎非要它不可，听到我拒绝，她开始跟我耍赖："不嘛，我就要这个娃娃。"

我坚决不给桐桐买，她撅起了嘴巴，很伤心。

见我如此坚决，桐桐不那么闹了，但仍然闷闷不乐，低着头不理我。

见桐桐这副"可怜相"，我有些心疼，就蹲下来，对她说："爸爸知道你很想要这个娃娃，爸爸不给你买，你很伤心是吧？"

桐桐依然不理我。

"爸爸知道你很伤心。不是爸爸不想给你买，是爸爸没有那么多钱。爸爸虽然不给你买娃娃，但爸爸始终都是爱你的，你永远都是爸爸妈妈的好宝贝。"

说完，我把桐桐抱了起来，拍了拍她的背。桐桐没再坚持要那个娃娃。

当孩子想要的东西失去了或者没有得到时，或他的愿望没有实现时，就会伤心难过。此时，很多孩子会通过哭泣、发脾气、生闷气等方式来表达自己的伤心或不满。

这个时候，父母千万不要指责孩子，更不要对其严加训斥、打骂，而是要给予他适当的安慰，及时抚慰他受伤的心灵，让他感觉到温暖。

安慰孩子的话，一定要从关心孩子情绪情感的角度去说，以缓解孩子的紧张焦虑和伤心痛苦。

你是最棒的

——用激励之语点燃孩子的潜能

父母的激励对于孩子就像一剂强心剂，会给他自信，给他强大的动力，能够激发他的潜能。

桐桐刚上幼儿园不久，班主任老师听说她喜欢跳舞，就鼓励她在联欢会上上台跳个舞。这是桐桐第一次上台表演节目。

当时，每个孩子的家长也都来参加这次活动。桐桐因为第一次面对这么多人表演节目，不免有些紧张。我在台下看出了桐桐的紧张，有些替她担心。

音乐声已经响起，桐桐还是站立不动，我有些焦急，班主任老师也着急了，不住地提醒桐桐开始跳舞了。

可桐桐依然惊恐地望着台下，台下的家长和孩子都在窃窃私语。

我急忙走上台，蹲在桐桐身边，悄声对她说："桐桐，在爸爸眼里，你是最棒的，你跳舞也是跳得最好的。你看，小朋友的爸爸妈妈都在给桐桐鼓掌呢，他们都觉得桐桐很棒。"

我一边说，一边对桐桐竖起了大拇指。受到我的鼓励，桐桐放松了下来。她冲着我笑了笑，开始跟着音乐跳了起来，虽然已经跟不上音乐的节拍，但也终于跳完了。音乐停止，桐桐也停止了舞步，开心地笑了。

桐桐第一次使用剪刀的时候，不小心被剪刀尖戳了一下手。当时，虽然她手上的皮肤没有破，也没有流血，但估计桐桐感觉很疼，从那以后，她就不太敢用剪刀了。

一次，桐桐的手工老师跟我说，手工课剪纸桐桐不敢做，原因是她不敢用刀。那一天，为了训练桐桐用剪刀的胆量，我把她从幼儿园接回家后，就和她一起玩起了剪纸。

我找来一把大剪刀，一把小剪刀，将一张很大的宣传纸撕成两半，然后递给桐桐一把剪刀、半张纸，我自己拿一把剪刀和半张纸。

"来，桐桐，这样拿剪刀，这样剪。"我一边给桐桐做示范，一边对她说。

桐桐右手握着剪刀柄，左手拿着纸，但她不敢将纸靠近剪刀，只是有些恐惧地看着我剪。

"没关系，桐桐很棒，一定能剪好，你瞧，你拿剪刀的姿势多正确、多好看啊！"我的话让桐桐有了点儿自信，她拿剪刀的手往纸靠近了一点儿。

"对，这只手放在这儿，离开剪刀这么远，这只手拿好剪刀，慢慢往前剪就好了。"我放下剪刀和纸，把着桐桐的两手，帮她剪了几下。

"对，桐桐真棒，你瞧，剪得多好啊！"我称赞她说。

桐桐发现纸剪开了一条缝，开心地笑了。受到了鼓舞，桐桐剪纸的热情越来越高，她又按照我的嘱咐小心翼翼地剪了几下。这时，我发现，她脸上恐惧的表情正在逐渐消失。

孩子没有勇气或自信去做他本来有能力去做的事情，是因为他会恐惧失败所带来的伤害，或他内心还缺乏做此事的动力。这个时候，父母的激励对于孩子就像一剂强心剂，能给他自信，给他强大的动力，能够激发他的潜能。

一个星期天，我给桐桐布置了几道数学题，让她演算。

桐桐做题的时候，我去看书。做完了题目，她欢快地拿着练习本来给我看。这些题目是我在桐桐的课外练习册上找出来的，结果 8 道题她只做对了 2 道。

桐桐本来很聪明，但看着这样的结果，我心里还是有一点儿失望，"望女成凤"的心态使我希望她每件事都能做得很好！但是，我转念又一想：这些题目虽然对我来说很简单，但对桐桐来说难度可能就有点儿大，还是不要要求那么高吧！

沉思了一会儿，我仔细想该怎样给桐桐解释这个结果。

我用红色圆珠笔在桐桐做对的那两道题目上打了大大的红钩，并对她说："桐桐你好厉害，居然做对了两道题。我像你这么大的时候，这样的题目恐怕一道也做不出来呢！"

听了我的话，桐桐很得意，仰着脸望着我笑。趁机，我又给桐桐鼓劲："好好努力，我觉得你学数学有很大的潜力，说不定将来能成为一名出色的数学家呢！"

桐桐依旧望着我笑。

"我们来看看这些错了的题目是怎么错的，好不好？"我提议。

桐桐爽快地回答："好。"

接着，我开始给桐桐分析那几道做错的题目，而桐桐听得很专心、很认真。

当孩子没有勇气或自信做好某事的时候，当孩子遭遇失败或挫折的时候，他很难相信自己的潜能，也很难发挥自己的积极性和主动性。

这个时候，父母要给孩子以激励，用激励的话语激发孩子的自信、点燃孩子的潜能，让孩子坚定地相信自己有很大的潜力，相信自己有能力做好每一件事情。

我像你这么大的时候……

——在自我袒露中给孩子指条路

如果孩子对自己犯错过分自责，难以释怀，父母除了要安慰孩子之外，还可告诉他自己也曾经犯过同样的错，同时告诉他自己是如何改正错误的。

朋友送给我一个珍贵的陶瓷花瓶，瓶身上文着粉色的梅花，树枝上卧着两只美丽的小鸟。我很珍视这个花瓶，桐桐也很喜欢它，她经常抱着花瓶观看一番，许久都舍不得放下。

有一天，我在看电视的时候，桐桐又抱着花瓶在客厅、房间里走来走去。

不一会儿，从房间里传来"哗啦"一声，我转头一看，发现陶瓷花瓶掉在地上打碎了，桐桐正惊恐地看着地上的碎片。我走过去，发现桐桐咧着嘴巴，眼睛里已有了泪花。

见桐桐这样难过，我忙安慰她说："花瓶打碎了，没关系，没有伤到你吧？"

桐桐不说话，只是看看碎片，又看看我。确认桐桐没有被伤到之后，我又安慰了她一会儿，然后将碎片打扫干净，就又去看电视了。但接下来的很长时间里，桐桐一直安静地待在房间里不出来，没有一点儿动静。

我很纳闷，起身走过去一看，见桐桐还站在原地，一只手不时地擦着眼睛。我知道她还在为打碎的花瓶伤心难过。

"你是不是还在为打碎花瓶难过啊？"我问。

"爸爸，我打碎了花瓶，我不是好孩子。"桐桐非常自责地对我说。

"不是的，你打碎了花瓶，但你仍然是好孩子，爸爸仍然爱你。爸爸小的时候，也因为调皮把爷爷非常喜欢的一个紫砂壶打碎了。那时，爷爷还打了爸爸的屁股呢，哎哟，好疼呢！"我一边扮鬼脸、装出屁股很疼的样子，一边对桐桐说。

桐桐被我的样子逗笑了。"原来爸爸也做过错事啊！"她笑着说，眼里还带着泪花。

"是啊，每个人都会犯错误，爸爸也犯过很多错误，错了改正就好。好了，宝贝，没事了，以后再拿这样的东西要小心点儿。"

桐桐这才高高兴兴地去玩了。

孩子意识到自己做错了事，就会自责。有的孩子的罪责感会很深，甚至会影响他以后相应的行为。

如果孩子对自己犯错过分自责，难以释怀，父母除了要安慰孩子之外，还可告诉他自己也曾经犯过同样的错，同时告诉他自己是如何改正错误的。

这样，视父母为"权威"的小孩子就会减轻罪责感，也容易从错误中学习正确的做法。

同行朋友、做家庭教育的雷老师，曾向我讲述他处理儿子青春期问题的一段经历：

雷老师的儿子小雷上初中一年级，性格内向老实，很像年轻时的雷老师。

有一段时间，雷老师无意中发现儿子似乎喜欢上了一个女孩。他决定给儿子上一堂青春期教育课，但他知道，对于性格内向的儿子，直白地谈这个问题，可能效果不会好。

于是，雷老师想在闲聊时，跟儿子谈谈自己中学时类似的经历。

"儿子，过来，爸爸跟你聊聊天。"

听话的小雷乖乖地坐在了爸爸身边，和爸爸有一搭没一搭地聊了起来。

聊了一会儿，雷老师很自然地谈到了自己在初二时喜欢上一个女孩的事情，他说："儿子，你现在是大人了，我把你当成朋友，跟你说一个我的小秘密……

"我像你这么大的时候，曾经喜欢过一个很漂亮的女孩子。她是我们班新转来的同学。我那时不懂，不敢与那个女孩说话，甚至不敢看她，觉得自己很'流氓'。但现在明白了，那是喜欢异性的表现，这其实是这个年龄的男孩女孩很正常的表现。

"后来，有一次，我们班集体植树，我发现那个女孩提水很困难，当时旁边没有别人，我就鼓起勇气上前帮助她。可你猜怎么着？她最后不仅不道谢，还骂我多管闲事。我当时很难过，伤心了很多天。后来仔细一想，距离产生美，也许我刚开始只是被她的漂亮吸引了。当走近她，大胆地与她交往之后，我才发现，她原来也有我不喜欢的地方。从那以后，我就发奋学习，因为我明白了一点：只有考上好高中、考上好大学才有机会接触更多更优秀的女孩。考上大学、参加工作之后，我才明白，中学时代的这种异性间的情愫很美好，但是很青涩，不成熟……"

小雷很认真地听着，好像明白了什么似的不住地点头。

一位下岗父亲对儿子的自我袒露也曾让我深思：

报载一位父亲下岗了，那时，他的儿子正读小学五年级，之前他们的生活一直无忧无虑。父亲因为刚听过一位教育专家的讲座，他意识到自己下岗这件事对儿子也是很好的教育机会。他没有像其他父母一样，对儿子隐瞒自己下岗的事实，然后安慰儿子踏实读书、不要委屈自己。

在下岗的第二天，这位父亲就郑重其事地跟儿子谈了一次话，他说："儿子，爸爸下岗了，这段时间我们的生活会紧张一些。你是家里的一员，有责任和我们一起渡过难关。所以，你这段时间不要乱花钱了，好吗？"

"爸爸下岗是因为爸爸在中小学时没有好好学习，所以没考上大学。没有知识、没有技能，工作就会很辛苦。如果你不想以后也像我一样下岗，从现在起，就要好好学习，知道吗？"

爸爸发自肺腑的话和真诚的态度触动了儿子，他很认真地点了点头。

从那以后，这个孩子觉得自己长大了，开始懂得为父母分忧，学习上也更加刻苦努力。

向孩子敞开心扉，说出自己的心里话，这是对孩子的尊重和信赖。父母这样做更能得到孩子的认同。

这其实就是一种平等的亲子交流，在这种平等的交流中，孩子更容易对父母敞开心扉，也更容易接受父母的教导。

所以，为了拉近与孩子的距离，使双方的交谈和沟通更融洽，父母不妨适当对孩子自我袒露，并在自我袒露中渗透相应的教育。

不许哭

——切莫堵住孩子情绪的出口

如果孩子心里有委屈，父母却阻止他哭，这就堵住了孩子情绪的出口，他的不良情绪积压在内心，就会对他造成伤害。

在一个超市门前有一个供厂家搞宣传活动的舞台，舞台一边有个七八级的台阶。

一个一岁多不到两岁的小男孩好奇地要顺着台阶爬上舞台。舞台很高，台阶也有些陡，男孩的妈妈怕发生危险，就阻止儿子往上爬。

无论妈妈怎么阻止，男孩就是不停地向上爬。妈妈拗不过儿子，就允许他爬了，但她的一只手死死地抓住儿子的胳膊。

男孩几次要挣脱妈妈的手，但妈妈始终不撒手。等男孩终于爬上了舞台，妈妈却强行把他抱了下来。

男孩不高兴了，哇哇哭起来，一边挣脱妈妈的手一边继续往上爬。

"别爬了，危险！"妈妈厉声对儿子说。

儿子不干了，妈妈"啪啪"地打了儿子的屁股两巴掌。这下，男孩哭得更厉害了，撕心裂肺般的哭声引来了周围很多人的目光。

男孩的妈妈见这么多人看着自己，有些尴尬，就大声地训斥儿子说："哭什么哭？闭嘴。"

小男孩依旧号啕大哭。

　　"不许哭，再哭妈妈就不要你了。"妈妈恐吓儿子说，说着就装出转身要离去的样子。

　　男孩见妈妈转身要走，立即止住了哭，快步跑向妈妈，抱住妈妈的大腿不再放开。

　　这位妈妈严令儿子不要哭，就是在阻止儿子释放自己的不良情绪。

　　哭，是孩子发泄不良情绪一种常用的方式。适当地通过哭来发泄不良情绪，对孩子的身心健康是有好处的。

　　如果孩子心里有委屈，父母却阻止他哭，这就堵住了孩子情绪的出口，他的不良情绪积压在内心，就会对他造成伤害。

　　表嫂曾跟我讲过这样一件事：

　　永健读小学五年级的时候，有一天，他突然对表嫂说："妈妈，我觉得好累，好无聊啊！"

　　表嫂没想到还乳臭未干的儿子会说出这样的话，以为他说着玩，就不以为然地说："你这小毛孩子！你有什么累的，有什么无聊的啊？别睁着眼说瞎话。"

　　"我真觉得好累，好无聊。"永健争辩说。

　　"好好去读书学习就不无聊了。你不愁吃不吃穿的，有什么好累的？"表嫂没好气地说。

　　"跟你说不明白，哎！真郁闷。"永健说完，起身去了自己的房间，然后重重地关上了房间的门。

　　儿子的举动让表嫂摸不着头脑，却又无可奈何。

　　吃晚饭的时候，永健依然闷闷不乐，表嫂问他话，他也是爱答不理，或者充满火药味地应对表嫂，弄得表嫂也很郁闷。

　　后来，表嫂才知道，那天永健其实遇到了很多让他烦恼的事情：在学校和好朋友闹了别扭，受到了老师的批评，自己喜欢的一个游戏机丢了。

永健很想跟妈妈说说自己的烦恼，但妈妈的话却抑制了他表达情绪、情感的欲望，让他更郁闷了。

我还听以前的一位同事跟我讲过他儿子彬彬的故事：

有一天，3 岁的彬彬和爸爸在小区的广场上玩"警察抓小偷"的游戏，彬彬扮演警察，爸爸扮演小偷，两人一前一后地在广场上跑着。

彬彬玩得很投入，追赶爸爸的时候几乎拼尽了全身的力气。

正在奔跑时，彬彬被地上一块突起的砖头绊了一下，重重地趴在了地上。

这时，彬彬"哇"的一声哭了起来。

彬彬爸爸急忙走上前去，将儿子扶了起来。他低头发现儿子的膝盖处蹭破了一大块皮，还渗出了血。

"男子汉，不能哭！"彬彬爸爸表情严肃地对儿子说。

爸爸的表情让彬彬感到不安，但他仍旧哭着，看来真的摔痛了。

"还哭？你真不像个男子汉，别哭了！"彬彬爸爸又一次严厉地制止儿子哭。

彬彬慢慢止住了哭。这时，彬彬爸爸对儿子说："这才像个男子汉，以后摔倒不要哭啊！"

果真，彬彬以后再摔倒或遇到委屈的时候，总极力地忍住哭，哪怕眼泪已经在眼眶里打转转，他也不会哭出声来。

以上的案例都是父母阻止孩子表达情绪的情况。或许，在父母看来，孩子遇到委屈而哭，或者表达脆弱是一种软弱的表现。但实际上，孩子总会遇到委屈，而哭和表达软弱是发泄不良情绪的途径，有利于孩子的健康。如果孩子不能通过一定方式将不良情绪释放出来，就会影响他的身心健康成长。

在孩子遇到委屈的时候，父母明智的做法是，允许孩子哭，允许孩子表达自己的脆弱和内心的情绪。在此基础上，父母后面教育的话才能被孩子接受。

打球一定很好玩
——投其所好，赢得孩子的心

关心孩子所关心的、所感兴趣的、所看重的事物，并在交谈时与孩子多谈论这些事物，孩子会更愿意对父母敞开心扉，愿意与父母有更多的交流和互动。

读高中的时候，有一段时间，我疯狂地喜欢上了足球，每天都要和几个哥们踢上至少一个小时的足球。

而且，电视上的足球赛是我最爱看的节目，不论哪种级别和层次的足球赛，世界级的、国家级的、省级的……我都每赛必看。

在那段时间里，我和母亲的关系也是非常融洽的，很多同学都憎恨的"代沟"问题在我和母亲之间不存在。

如今，我开始研究家庭教育，就时常思考那段时间我和母亲的关系。

最终，我发现那时母亲无意中应用了一个非常有效的交流方式，那就是经常与我谈论我喜欢的足球。

每次我准备去打球，母亲都会对我说："儿子，去打球啊？希望你们打球打得愉快、打得越来越棒。"母亲的话和表情让我心情愉快，也让我觉得打球真的是一件乐事。

打完球回来，母亲有时会问我："打得很痛快吧？今天打球有什么好玩的事情发生？你那些伙伴们谁打得好、谁打得差？"

"你这么喜欢打球，打球一定很好玩。你跟我说说，打球有哪些好处或有哪些有趣的地方。"

听到母亲的问话，我通常都会滔滔不绝地将那天打球的详细情况跟她说一说。而母亲，也会微笑着、耐心地听我讲述我们打球时的各种趣事。

痛快淋漓地打完球，然后又痛快淋漓地与母亲表达和分享我的感受，那种感觉在当时的我看来，真的很爽。

而每次发现电视上有足球赛的节目，只要我在家，母亲就会招呼我："儿子，电视上有球赛，你一定想看吧？"

现在，我仔细想来，那个时候，母亲其实是在智慧地表达对我的爱，她爱我，就会关心我的快乐，关心我的喜好，并更多地谈论我的快乐和喜好。

我接触过一位妈妈，她也使用了这种交谈方式，从而改善了她与儿子曾经比较糟糕的关系。

这位妈妈与读初一的儿子最初关系很不好。儿子很逆反，总喜欢与妈妈反着来，这让妈妈非常头疼，她想尽一切办法要改进与儿子的关系。

在接受了一位家庭教育专家的建议后，这位妈妈开始试着走进儿子的生活，关心儿子所关心的事情，关注儿子的喜好并用心与他谈论这些喜好。

那段时间，儿子与同年级另外一个班的一名男同学关系非常好，两个人不仅一起上下学，连周末、节假日也不忘时常通电话或者一起出去玩。

这位妈妈通过某种方式找到了这个男孩的妈妈，想借此了解这个男孩的优势特长以及各种优缺点。

再跟儿子谈话的时候，这位妈妈就时常会说："你交的朋友××真不错，我听说他写字写得很漂亮，人很诚实正直，滑冰很好，武术也很棒。"

"儿子，我发现你挺有眼光的。能够找到这样一个很优秀的朋友，能够拥有一段美好的友谊，这是中学时代非常宝贵的经历。"

"听说你经常帮助这个朋友补习数学，我支持你，好朋友就要互相帮助、互相支持、互相学习。"

"听说你的好朋友生病了，你要不要去看看他？如果需要钱，你就告诉我，我给你。"

最初，儿子还不太理解妈妈为什么时常谈论他的朋友。慢慢的，他逐渐明白，妈妈是真心尊重和关心他的朋友，尊重和支持他和好朋友的关系。

从此，儿子逐渐向妈妈敞开了心扉，与妈妈的关系日渐缓和、亲密。当然，他也乐意接受妈妈的教导了。

投其所好，才能赢得孩子的心，交谈和教育才会更有效。

可惜的是，很多父母更喜欢与孩子谈论自己最关心、最看重的事物，比如学习成绩、考学等。

父母只考虑自己的想法和意愿，而忽视孩子的喜好，就会疏远双方的关系，使双方的交谈受阻。

关心孩子所关心的、所感兴趣的、所看重的事物，并在交谈时与孩子多谈论这些事物，孩子会更愿意对父母敞开心扉，愿意与父母有更多的交流和互动。

在教育桐桐的过程中，我对这种交谈方式的体会也非常深刻。

桐桐上了幼儿园之后，逐渐喜欢上了画画。于是，我就经常与她谈论绘画。

"桐桐画的苹果真好看，我都想吃了它。我把你画的苹果收藏起来好不好？以后爸爸可以经常拿出来看一看。"

桐桐受到了称赞，很高兴，她把画交给我，再拿起一张纸，继续画。

"我要画更好看的苹果给爸爸看。"桐桐兴奋地说着，脸上洋溢着自豪。

"桐桐画的小花很美丽，我把它贴在墙上好不好？这样客人们就很容易看到了。"

"你画的这个小人儿真可爱，会是哪个小精灵呢?"

同样，当桐桐喜欢上舞蹈的时候，我就经常高兴地与她谈舞蹈；当她喜欢上剪纸的时候，我就兴致勃勃地与她谈剪纸，并与她一起剪纸……

每次听到类似的话，桐桐总是感到很快乐，也总会热情高涨地去做这些事情。

投其所好，说孩子喜欢听的话，这是更快地走进孩子内心的有效方式。

父母掌握了这一交谈方式，就会很容易地找到打开孩子"心门"的钥匙，从而为进一步的教育提供依据。

孩子的快乐，孩子想要解除的烦恼，孩子最喜欢、最关心、最看重的事物，等等话题，都是孩子喜欢听的。

父母常与孩子谈论这些话题，家庭教育才会真正有效。

妈妈是担心你受伤害

——动之以情，晓之以理

父母在拒绝孩子做不该做的事情时，或者要求孩子做该做的事情时，只有动之以情、晓之以理地给孩子讲清道理，孩子才更容易接受父母的意见。

隔壁单元的小菲今年读初二。一次，小菲妈妈跟我说起女儿见一名网友的事情。

不久前，小菲在网上认识了一个名叫"黑骏马"的男孩，两人在网上交流一段时间后，"黑骏马"提出了见面的要求。

小菲答应了见面。但当小菲妈妈听说这件事后，不同意女儿单独与"黑骏马"见面。妈妈的理由是网络上认识的人很虚幻，女儿没有社会经验，很不安全。

妈妈耐心地跟女儿说了下面的话："我知道，我不能随便否定你们同龄人之间的友谊，对方可能是真诚的，也可能是虚假的，我对他不了解，不能随便下定论。但是，你要为自己的安全考虑，我也是为你的安全考虑。你知道，前几天，电视上刚刚播过一个有关网络骗子的报道。骗子不可能傻到在自己的额头上写上'骗子'两个字。所以，我们还是'害人之心不可有，防人之心不可无'。

"退一步说，即使对方是个很真诚的人，他也并不一定就是你想象的那种男孩。

"妈妈不让你轻易见网友，是担心你受骗、受伤害。

"我觉得，如果你非要与他见面，也要在公共场合，这样便于你保护自己，遇到问题及时向周围的人求助。

"或者，如果你愿意的话，我和你爸可以陪你去见他，别担心，我们只是在暗处观察那个人。你也可以找一个要好的同学陪你去见他。这样比较安全，你觉得呢？"

小菲听了妈妈的话，虽然心里有些别扭，但觉得妈妈说的有道理，就同意了她的意见，找了一个要好的同学去见"黑骏马"。

这次相见，让小菲对"黑骏马"大失所望。因为对方并不是一个优秀的男孩，而是一个吊儿郎当的公子哥。

父母在拒绝孩子做不该做的事情时，或者要求孩子做该做的事情时，只有动之以情、晓之以理地给孩子讲清道理，孩子才更容易接受父母的意见。

动之以情，是从孩子的情感角度出发，体谅、尊重和关心孩子的情绪和感受，让孩子在情感上能接受父母说的话。

晓之以理，是从孩子的理性认知出发，让孩子真正明白道理，明白这件事可以做、那件事不可以做的理由，让孩子信服父母的话。

一次，我和妻子带桐桐去附近的公园游玩。

公园里有一处两亩见方的池塘，池塘里有很多荷花。当时正值 8 月，是荷花盛开的季节。

桐桐很少看见荷花，她见到池中的粉色荷花后很好奇。在池塘的南边，离池塘边沿大约 1 米远的水中，有一朵粉色荷花亭亭玉立，高出水面约一米，摇曳着似乎在向游客招手。

桐桐见不远处有一个小男孩站在池塘离岸边很近的水中，准备摘下一片荷叶。桐桐也想下到水中去摘那朵荷花，于是她对妈妈说："妈妈，那朵荷花很好看，我要把它摘下来。"

妻子一听女儿的话，马上反对说："不行，不能摘。"

"我想要嘛。"

"不能摘。"妻子又一次严厉地拒绝女儿。

桐桐抓住妻子的衣角摇晃着，一直纠缠着妻子，不停地嚷嚷着要去摘荷花。

"不行，这里的荷花不能摘，这是供游客观赏的，你要是摘下来，别的小朋友、其他叔叔阿姨都

看不到了。而且，你要是从这里下去会很危险，不小心就会掉下水去，我和你爸爸都不会游泳，你掉下水我们怎么救你啊？"

桐桐静静地看着水中的荷花，不再说话。最终，她放弃了要摘荷花的念头。

· · ● ● ● · ·

在小区的花坛里，有几棵只有四五米高的树，其中一棵在两米多高的地方有一个分权。

小区里几个调皮的男孩经常在这棵树上爬上爬下，坐在树权上望着下面的人笑。虽然管理人员多次禁止，但仍有孩子偷偷去爬。

有一天，我和桐桐在小区里玩，又看见两个男孩在偷偷地爬树。桐桐看见后，觉得很好玩，就拉着我的手，央求我允许她去爬树。

我不同意桐桐去爬树，首先是人家不允许，更重要的是，爬那棵树很危险，树的一个枝权很细，承重力不是很大。

"为什么那几个哥哥可以爬呢？"遭到我的拒绝后，桐桐不解地问。

"哥哥爬那棵树是不对的，那棵树很危险，树枝很容易折断，树枝折断了，就会把人摔伤、摔痛，而且树也会受伤，也活不成了。"

"可是，哥哥爬树，那棵树并没有折断啊？"

"树枝不会马上折断，但人爬的次数多了，说不定什么时候就折断了……"我耐心地跟桐桐解释。

许久，桐桐看着还在爬树嬉闹的两个男孩，但没有再坚持去爬树。

一会儿，我走向那棵树，也制止了两个男孩爬树的行为。

· · ● ● ● · ·

要想让孩子听得进父母的话，就要从情感上和理智上理解孩子。只有这样，父母才能将话真正说到孩子的心窝里。

为此，父母在说话之前，要了解孩子当时的感受和想法，了解孩子当时的理解水平。在对孩子进行教育的时候，既要动之以情，也要晓之以理，努力使自己说的话让孩子在感情上能接受，在理智上也能理解。

这样做对你不利

——"不"字要说到孩子心坎上

> 不跟孩子说清理由的拒绝往往是无效的，所以拒绝孩子时一定要跟他说清楚拒绝的理由。

桐桐很喜欢在室外玩，玩到高兴的时候，常常是我们怎么劝都不肯回家。

去年冬天的一天，我和妻子在小区的一栋楼前晒太阳，桐桐则在旁边的空地上跑着跳着，不厌其烦地追逐着一只小狗。

一会儿，起北风了，风夹杂着少量的沙土。出于对孩子卫生和健康的考虑，我们喊桐桐回家。

那只小狗一会儿跑到这个单元门洞里，一会儿跑到那个单元门洞里，桐桐则始终尾随其后。我和妻子一次次地劝说桐桐回家，她死活不肯回家，一直和小狗玩捉迷藏的游戏。

此时，妻子看起来要生气了，桐桐依然不顾我们的劝阻到处追赶着小狗。

在一个单元门前，我拉住桐桐，蹲下来，很耐心地对她说："桐桐，刮风了，风里有很多细菌，吹到人的鼻孔里、嘴巴里、眼睛里，很容易让人生病。你愿意生病吗？"

"不愿意。"桐桐尝过生病的痛苦，又要打针，又要吃苦药，还不能做自己喜欢做的事情。

"不愿意生病的话，我们就躲在屋里避风。如果吹到风，还是会生病的。"

我继续说。

桐桐静静地想了一会儿，看着已经跑远的小狗，似乎还有些不情愿。

"你看，小狗也跑累了，它也要回家了。"

不一会儿，小狗跑没了影，桐桐才乖乖地跟我们回家了。

• • ● • •

有些父母在拒绝孩子的时候，常常会简单粗暴地制止孩子的行为，比如强行把孩子拖走，或者强行让孩子停下正在做的事情，而不告诉孩子为什么不能做这件事。

这样做实际上是父母在对孩子实施强权，这样的拒绝并不能说服孩子，不能让孩子心甘情愿地放弃正在做的事情，他甚至会因为自己被打断而恼怒，本能地反抗父母。

也就是说，不跟孩子说清理由的拒绝往往是无效的，所以拒绝孩子时一定要跟他说清楚拒绝的理由。

• • ● • •

有一段时间，在我们所住的楼层里，桐桐对楼梯的栏杆产生了浓厚的兴趣。

因为有一天，桐桐看到楼上一个2岁的小男孩，坐在栏杆上一点点往下滑，他的爸爸扶着他的腋下。那个男孩这样做时看起来很开心。

桐桐也想体验一下这种在栏杆上由上往下滑的感觉。

有一次，我发现桐桐偷偷溜出了屋门，我立即尾随上她。

我刚刚走到屋门旁，就发现她正非常费力地爬上室外楼梯上的栏杆，我赶忙跨步上前，抓住了她的胳膊——要是从栏杆的缝隙间掉下去可不是好玩的。

桐桐的行为被制止了，她很不高兴，努力要挣脱我的手。

我双手紧紧箍着桐桐不放，一边跟她解释说："桐桐，不要这样往下滑，这样很危险，会摔伤你的。"

"可是楼上的豆豆为什么可以往下滑？"桐桐不解地问我。

"那是因为豆豆的爸爸在旁边扶着他，而且他滑得很慢。但是你已经是大孩子了，爸爸扶不动你了，你要是自己滑下去会摔伤的。"我很耐心、认真地跟她解释说。

"我会小心的，我不会摔下来的。"桐桐说。

"爸爸知道你想这样滑下去，但是这样做真的很危险。往下滑的时候，你很难抓好栏杆。爸爸不希望你摔伤。"我始终紧紧抓住桐桐。

"我能抓好的。"桐桐意识不到这样做的危险性，依然坚持自己的主张。

我没有妥协，任凭桐桐怎样央求，我都坚持自己的原则："这样做真的很危险，爸爸不同意你这样做。因为爸爸爱你，所以不希望你去做危险的事情，不希望你受伤害。"

见我如此坚决，桐桐的态度逐渐缓和了，我又趁机给她讲了这样滑下去会出现什么危险情况。

看我如此认真地解释，桐桐也很认真地听着，一会儿，她放弃了这个危险的打算，跟我回家了。

有一天，我和妻子在厨房里一边准备做饭，一边聊天。

一会儿，本来在客厅里和奶奶一起玩耍的桐桐跑了过来。见我在切菜，她很好奇，凑过来，抓住了我手里刀的刀背，嚷嚷着："我来切，我来切。"

发现桐桐夺刀，妻子在一旁连忙说："不行，不行。你切不了，会切伤你的手，你去和奶奶玩。"

桐桐不听，继续抢夺我手里的大刀。

我停止切菜，琢磨了一会儿，从刀架上取下另一把小一点儿、轻一点儿的刀递给桐桐，告诉她说："你力气小，你用这个。不然这个大刀很容易伤到你。"

桐桐还坚持用大刀，我把大刀高高举起，坚持说："这个刀太大了，是大人用的，小孩用这个小的。"

僵持了一会儿，桐桐同意了用小一点儿的刀。

"你拿住刀柄这个地方，手不要碰到下边刀刃的地方，不然会切到你的手。"我一边示范，一边给她讲解。

桐桐两只手握住了刀柄，显得很笨拙，她照着案板上的白菜剁了几下。也许是因为没有力气，白菜没有被切开。我在一旁小心翼翼地保护着桐桐，以免发生意外。

桐桐又试了几次，有几片白菜叶被切开了，她开心地笑了。我想，这对她也是难得的人生经验，她从中获得了成就感和快乐。

在孩子做某件父母不希望他做或孩子不该做的事情时，父母不要只是生硬地拒绝他，这样的拒绝并不能让孩子心服口服。

拒绝孩子时，除了要告诉孩子不能做这件事情的理由之外，还可帮助孩子找到一种更安全、更适合他的做事方式，将"不"字说到孩子的心坎上。同时，还要教给孩子正确的做事方法。

这样的拒绝和教导，孩子才更愿意接受，也更愿意去执行。

你别说了

——不要浇灭孩子谈话的热情

> 父母鼓励孩子说话，保护好孩子说话的热情，有利于孩子的大脑和心理的发展。

桐桐上了幼儿园约一个月之后，逐渐适应并喜欢上了幼儿园的生活，每天回家她都会很高兴地跟我们讲幼儿园发生的事情。

一天，我接桐桐回家后，妻子还没有回来，我就和桐桐边玩边聊天。

一会儿，妻子回来了，她似乎有些疲惫，刚进门，和我们打了一声招呼，把背包扔在沙发上，就躺在沙发上一动不动了。

桐桐见妈妈回来，忙起身走上前，很热情地对妈妈说："妈妈回来了，妈妈回来了。"

妻子看着桐桐笑了笑，把双腿架到了沙发沿上。

见桐桐与妈妈搭上了话，我便借机去书房看书了。

"妈妈，我今天在幼儿园吃了我喜欢吃的糖醋排骨，还有丝瓜炒鸡蛋。"

"哦，是吗？"

"今天冬冬吃饭只吃了两口，他想妈妈了，老师告诉他不要想妈妈，冬冬就哭，他想妈妈想哭了。"

妻子不再说话，不知道在想什么。

桐桐还在跟妈妈说着："妈妈，你听我说嘛。我们黄老师今天戴了一只红发卡，刘老师穿了一件粉色的连衣裙，都好漂亮。"

"妈妈累了，你让妈妈清静一会儿好不好？"妻子对桐桐说。

"妈妈不累，妈妈听我讲，我下午和莉莉、雪莉、小米一起玩丢手绢呢，很好玩……"桐桐不管妈妈的话，继续说着。

又过了一会儿，妻子好像有些烦了，我在书房里听见她大声说："妈妈累了，你别烦妈妈好不好？"

桐桐的说话声消失了。不一会儿，她来找我，撅着嘴巴，好像受了天大的委屈。

我立刻明白了缘由，是妻子冷淡的态度打击了桐桐说话的热情。于是，我对桐桐说："妈妈不听你说，你难过了是吗？"

桐桐点点头。

"妈妈可能是累了,那爸爸来听你说。"

我揽过桐桐,她顺势偎在了我怀里。

还有一次,家里来了几个朋友。

中午,我和妻子到厨房去做饭,一位朋友的妻子也在旁边帮忙。桐桐和一个朋友的孩子在房间里跑着、叫着、打闹着,几个朋友则一边看电视,一边交谈。

因为厨房不大,挤了三个大人,已经没有多少空余地方了。

一会儿,桐桐跑了过来,手里拿着一幅画,朋友的孩子也跟随其后。

还没进厨房门,桐桐就大喊:"妈妈,你看,我画了一幅画。画了爸爸、妈妈,还有……"

桐桐刚跨进厨房门,妻子就大声疾呼,并走到门口要推桐桐和朋友的孩子出去:"哎哟,别进来了,别进来了,这里站不开你们了。"

"你看,我画的画,我和欢欢一起画的……"桐桐不知趣,依然很高兴地说,大概是来了客人她也很兴奋吧。

"嗯,你画得很好,不过妈妈现在没工夫看你画的画,也没工夫听你说。你和欢欢到房间里去玩,行不行?"

桐桐遭受了妈妈这一番阻挠,有些不高兴。她不再谈她的画,而是耷拉着双手,沮丧地离开了厨房。

一般而言,两岁左右到六七岁的孩子,也就是幼儿园时期的孩子,正处于语言的敏感期,这个时期的孩子大都很喜欢用语言来表达自己。

经过语言表达的实践,孩子的语言能力、思维能力、情绪情感表达等都能得到一定的发展,与此同时他的心理也会得到一定的发展。

因此,在这个时期,父母鼓励孩子说话,保护好孩子说话的热情,有利于孩子大脑和心理的发展。

有一次，桐桐的姥姥来到了我们家，喜欢说话的桐桐就缠上了姥姥，开始与姥姥说话。

"姥姥，我们班的小胖好胖好胖，他吃得好多好多，走路就像一只笨鸭子……"桐桐一边夸张地学着小胖的姿态，一边说。

"哦，是吗？那是够胖的，那他行动多不方便啊。他这么胖会不会很有力气啊？"

见姥姥对自己的话题感兴趣，桐桐继续讲起来："其实，他没多少力气，还不如瘦子王军的力气大呢！有一次，王军还把小胖打倒了，小胖好长时间才爬起来，真好笑。"

"哦，王军为什么打小胖啊？"

"没有为什么，他们逗着玩呗！"

"呵呵，你们班的同学是不是经常拿小胖开玩笑啊？"

"是啊，他可好玩了。"

"他还有什么好玩的事情，跟我说说，我喜欢听。"姥姥做出一副耐心倾听的样子，眼睛看着桐桐。

姥姥认真的态度越发激起了桐桐讲话的兴趣，桐桐越说越带劲儿。一老一少两个人足足聊了有一个多小时，一直到了吃饭的时候，桐桐还兴致不减。

孩子对说话有热情、有兴趣，才会更愿意说话，才能通过说话实践不断提高说话能力，不断发展智力。

父母要保护好孩子说话的热情，首先要鼓励孩子说，鼓励孩子勇于表达自己的想法和感受，给孩子说话的机会。

此外，父母还要对孩子的说话表现出浓厚的兴趣，做孩子的好听众，对孩子说的话给予积极的回应。

你做不好这件事

——千万别给孩子"泼冷水"

> 给孩子"泼冷水"会让他丧失自信心和价值感,觉得自己的努力和成绩得不到认可和支持,从而容易失去继续努力的动力。

小学四年级时,我第一次参加了学校的运动会。说实话,虽然我很喜欢打球,但我的体育成绩并不是特别好。

我参加的运动项目是铅球,因为那时我也比较胖,与大多数同学相比比较有力气。最终,我在这一运动项目上夺得了班级第一名、全校第四名,得到了一个小塑料杯作为奖品。

第一次参加运动会就获奖,这一成绩让我很开心,我觉得自己不仅为班级争得了荣誉,还为自己洗刷了"没有运动天赋"的"耻辱",在同学面前扬眉吐气了一回。

一回到家,发现爸爸正在院门外搬杂草捆,我就迫不及待地将自己运动会获奖的消息告诉了他。

爸爸听说我铅球得了全校第四名,不以为然地说:"我还以为你得了什么大奖呢,铅球第四名那不容易得很吗?有力气给我搬搬杂草捆来。"

爸爸的话让我一下子蔫了下来,得奖后的兴奋劲儿突然熄灭了。我叹了一口气,在背后冲着爸爸扮了一个鬼脸,开始无精打采地搬起了杂草捆。

此后,我对于运动会再也没有了热情。

很多父母总觉得孩子还小，给点儿阳光就灿烂，热情容易盲目地高涨。为了让孩子"头脑冷静下来"，父母就会用话语给孩子"泼冷水"。

给孩子"泼冷水"不利于发挥其积极性和创造潜能，因为情绪对孩子行为的效果有很大的影响，而"泼冷水"实际上会激起孩子不良的情绪，从而影响他的行为。此外，给孩子"泼冷水"会让他丧失自信心和价值感，觉得自己的努力和成绩得不到认可和支持，从而容易失去继续努力的动力。

一个周末，我和妻子准备彻底整理一下卧室、客厅以及衣橱、书桌等，搞个大清洁。吃过早饭，妻子吩咐桐桐说："桐桐，你自己乖乖地在你的房间里画画或玩别的，我和爸爸整理房间，不能陪你。"

桐桐听了妈妈的话，说："我要和妈妈爸爸一起整理房间，我喜欢整理房间。"说着，她就跑到我们的卧室，开始叠我们早起后还没叠的被子。

被子很大，相对来说，桐桐就太小了，她一下只能举起被子的一角，自己根本无法将被子叠起来。

我和妻子见状，都大笑："你这个小人儿，还叠被子呢，让被子叠你吧！"妻子开玩笑地说。

"我叠被子。"桐桐反驳说，又兴致勃勃地一下一下扯起被子，努力要把它叠起来，结果一不小心就被被子几乎包住了整个身子。

妻子见状，忙走上前，把被子从桐桐身上拿下来，把她推到一边，说："我来叠。"

"我去整理妈妈的梳妆台。"说着，桐桐又跑到妈妈的梳妆台前，爬上椅子，开始挪来挪去那些化妆瓶。

妻子见状，忙走过去："哎哟，小公主，你就别在这捣乱了，这些事情你干不好的，你还是去玩吧！"

又一次遭到拒绝，桐桐有些不高兴，对妈妈辩解说："我能干好的。我会干得比爸爸好。"

"你干不了，你去玩吧！"

"爸爸，我要整理房间。"被打击了劳动热情的桐桐转而求助于我，也许希望我替她向妈妈"求求情"。

见此情景，我忙对妻子说："嗨，就让她干吧！大不了我们再收拾一遍。"

"我不是怕麻烦嘛！"妻子也有些不高兴，我明白她做家务的辛苦，她是担心桐桐帮倒忙。

"你干吧！"我对桐桐说，桐桐开始快活地忙活起来，而妻子也没再说什么。

有一次，桐桐奶奶去厨房为我们准备午饭，桐桐玩了一会儿拼图后，也跟着跑到了厨房，她对奶奶说："奶奶，我帮你做饭，我给你择菜。"

奶奶觉得桐桐还小，做不了家务，就对她说："乖孙女，你还小，做不了饭，菜你也不会择。你去看电视吧！"

奶奶的话让桐桐有些不高兴，但她还是拿起一个蒜瓣，要帮奶奶剥蒜皮儿，可她笨拙得好久都剥不下一层蒜皮儿。

奶奶见状，忙夺过蒜瓣："孙女，你干不了这个，会辣到你的手和眼睛。我来剥。"

本来很高兴地要帮奶奶干活，却被拒绝，还被指责干不了活，桐桐的热情一下子低落了，她闷闷不乐地走出了厨房。刚走出厨房，桐桐就委屈地对我说："爸爸，奶奶小瞧人，我能干得了活的。"

"桐桐能干活，而且很能干。只是剥蒜皮这活不好干，会辣伤手和眼睛。"我说。

桐桐没再说什么，进自己的房间去玩了。

孩子对很多成人做的事情都十分好奇，常常会充满热情地也跟着去做。但是，很多父母却总觉得孩子小，很多事情做不了，于是就拒绝孩子去做。

但父母的拒绝、父母给孩子泼的冷水会打击孩子继续做事的热情和积极性，不利于孩子各方面能力的发展。

从孩子成长和发展的角度来考虑，孩子要做某事时，父母要尽可能地支持孩子去做，哪怕他做不好、做不了，也要给他机会去尝试，而不要总给他"泼冷水"。

你有很大的潜能

——积极的语言助孩子成功

若父母总用积极的语言与孩子交流，孩子就会得到积极的心理暗示，认为自己好、自己行，相信自己优秀、能取得成功，并会积极地去做事且更容易成功。

桐桐的幼儿园班主任刘老师曾给我讲过一个叫晨晨的孩子的故事：

晨晨3岁4个月的时候被送到幼儿园。第一天，送晨晨来的奶奶对刘老师说："我孙子自己吃饭吃不好，你们老师辛苦点儿，吃饭的时候喂喂他。"

刘老师嘴上答应着，把依然哭闹着不肯让奶奶离去的晨晨抱进了教室。

中午吃饭的时候，刘老师帮助晨晨盛好了饭，把他领到了座位旁，弯下腰来，对他说："晨晨很棒，可以自己吃饭的，对不对？"

晨晨只是呆呆地看了看刘老师，看了看其他正在吃饭或盛饭的小朋友，接着又看了看自己眼前的饭碗，没有说话。

安排好晨晨，刘老师起身去照顾其他小朋友。

晨晨见其他小朋友都是自己吃饭，就也抓起勺子，开始笨拙地吃了起来。

这时，晨晨听到刘老师在他的身后大声对另一位老师说："你瞧，晨晨吃饭吃得多好啊！不像他奶奶说的自己吃不好饭啊，你看，他吃得很棒呢！"

晨晨听了刘老师的话，转头冲着她笑了笑，继续吃。虽仍吃得满嘴满脸满桌都是饭粒，但晨晨看起来很自豪，吃得很起劲儿。

这一次，虽然晨晨吃饭比别人多花了整整半个小时的时间，但他第一次没有让别人喂饭，自己把饭吃完了。

父母的话语会给年幼的孩子很强的心理暗示，父母说孩子怎么样，孩子就会认为自己是什么样的。

若父母总用积极的语言与孩子交流，孩子就会得到积极的心理暗示，认为自己好、自己行，相信自己优秀、能取得成功，并会积极地去做事且更容易成功。反之，父母消极的语言则会给孩子消极的暗示，阻碍孩子积极的行为。

有一次，我去朋友小赵家商量事情。当我落座开始与小赵交谈时，小赵的儿子强强准备与妈妈一起去超市。妈妈蹲下来要给强强穿外套、换鞋子。

也许是当着外人的面，强强想表现一下自己。于是，在妈妈要给他穿外套的时候，他夺过了妈妈手中的外套，要自己穿。

但是，强强拿着衣服绕来绕去、转来转去，怎么也不能把它套在身上。妈妈见状有些着急，就说："你穿不好的，我来帮你。"

强强不干，使劲推开妈妈。

"哎，我说你这孩子，逞什么能？你看你笨得连外套都穿不好，还是我来帮你吧！"说着，妈妈强行扯过衣服，三下两下套在了强强的身上。

强强一脸的不高兴，不住地用手打妈妈。

扣纽扣的时候，同样的情况又再一次上演，强强怎么也不能把纽扣扣到扣眼里去。妈妈对儿子又是一阵否定性打击，而强强又是一阵反抗，最后还是妈妈强行帮他扣好了纽扣。

到了该穿鞋子的时候，我提议让强强自己穿，可强强妈妈却说："他笨死了，好长时间都穿不好，鞋带也不会系，太麻烦了，还是我帮他穿省事。"

强强听了妈妈的话，用力地打了妈妈几下。最后，还是妈妈强行给强强穿上鞋子，抱着他出门了，一场"战争"才结束。

由此，我想到了日本著名教育家多湖辉的故事。

小时候的多湖辉是个爱搞恶作剧、喜欢调皮捣蛋、不爱读书的孩子，他的学习成绩一直不理想。

很多父母，如果有这样的孩子，可能会不断地指责他说："你怎么这么不懂事？怎么总是调皮捣蛋？你怎么就不能好好学习啊？"或者批评孩子说："你说你除了会捣蛋，你还能做什么？你连学习都搞不好，真是不成器。"

但是，多湖辉的妈妈并没有用类似的消极字眼批评儿子，她总是充满信心地对儿子说：

"现在你不喜欢念书，总有一天，你一定会喜欢念书的。你很聪明，一定会认识到念书能给你带来很多快乐和成就感。"

"妈妈看得出来，将来的你一定会有卓越的成就，因为你有很大的潜能。"

"不管你想做什么，只要你想去做，我相信你一定能做得非常出色。"

……

多湖辉的妈妈将类似的话经常挂在嘴边，这让多湖辉对自己的潜能深信不疑。他想：妈妈是我很崇拜的人，她这样说，也许我正像她所说的，自己日后会有卓越的成就。

在妈妈积极语言的激励下，多湖辉日后真的取得了极高的成就，成为一名很有影响力的教育家。

••••●●●••

望子成龙、望女成凤的父母们，如果我们真的希望孩子成龙、成凤，那就要放弃"恨铁不成钢"的心态，并改正用消极的语言与孩子交流交谈的不良习惯。

父母积极的语言会给孩子的心灵以力量，父母要不吝啬给孩子这种心灵的力量，它可以激励孩子不断上进，不断向着更好、更优秀、更强的方向发展。

放弃消极语言，多用积极语言，相信孩子会发展得更好、更优秀、更成功。

第四章

善于表扬，学会批评

你是我们家的"总指挥"

——给孩子戴一顶"高帽"

> 与成人一样，孩子也喜欢"戴高帽"，因为每个孩子都喜欢被赏识、被认可，这是孩子正常的心理需求。

我们小区里有一个叫澎湃的 14 岁男孩，读初三。他是个非常有主见的孩子，自理能力、独立能力和处理问题的能力都很强，比同龄人要成熟得多。

而这一切要得益于澎湃的父母从小对他进行的良好的家庭教育。

在家里，澎湃有一个很光彩的"头衔"——总指挥。在很多事情上，澎湃是家里的"总指挥"，而这个头衔是父母任命的。

澎湃妈妈曾跟我讲过儿子 8 岁时的一件事：

那一年将要入冬的时候，澎湃跟父母提出要买一款新的游戏机。

正巧那段时间，澎湃爸爸的手机有些旧了，想换个新的，而妈妈没有过冬的衣服了，想添置两件棉衣。

澎湃妈妈当时想，虽然同时购买三个人需要的这些物品，经济上能承受，但如果一次只满足一个人，并让儿子来圆满地解决这个问题，对他会是一种锻炼。

于是，妈妈对澎湃说："儿子，我向你请教一个难题。你想买游戏机，爸爸想买手机，我想买棉衣。但这段时间我们家的经济有点儿紧张，所以一次只能满足一个人的购买需求。你是咱们家的'总指挥'，你来计划一下，先给谁买，后给谁买，你要安排得合理，让我们每个人都满意……"

根据妈妈提的要求以及这段时间家里的各种花销，澎湃想了一会儿，最后他想出了一个很"完美"的办法。

"妈妈，我觉得，要先给你买棉衣，爸爸先用那个旧的手机，我也先玩那个旧的游戏机。冬天到了，你不能冻坏了身体，健康第一嘛！爸爸的手机现在还能用，下个月再给爸爸买手机吧！至于我的游戏机呢，我暂时不买新的也可以，那个旧的还能玩。"

妈妈听到儿子的话，很感动，对他说："你真不愧是我们的'总指挥'，这样的安排很好，就这么办吧！"

与成人一样，孩子也喜欢"戴高帽"，因为每个孩子都喜欢被赏识、被认可，这是孩子正常的心理需求。

澎湃的父母给了他一个"总指挥"的头衔，并给他创造当"总指挥"的机会。这个"总指挥"的职位让澎湃很有成就感，也让他对家里的事情有了很强的责任感。

更重要的是，在担任"总指挥"的过程中，澎湃得到了很好的锻炼和体验，增强了自信，也提高了各方面的能力。

这让我想起了一个"网瘾"孩子的转变：

这个孩子的父母曾因儿子"上网成瘾"的问题瞒着儿子来找我咨询。在听他们讲述了儿子的各种"网瘾"表现，并了解了他们的电脑水平之后，我给他们提出了一个建议：任命儿子为家里的"电脑技术专家"，父母在电脑方面不会的问题都要虚心向儿子请教。

因为在我看来，这个 15 岁的男孩并非所谓的"网络成瘾"，他只是对电脑非常痴迷，每天使用电脑的时间较长而已。

为了促进儿子的"转变"，这对父母很认真地采纳了我的建议。

夫妻俩回到家就对儿子说："你是我们家的电脑技术专家，以后爸爸妈妈在使用电脑时遇到问题，就向你请教，怎么样？"

儿子欣然同意。

于是，夫妻俩就想着法寻找电脑使用中遇到的"难题"，然后虚心地向儿子请教："电脑死机了，怎么也动不了了，你是高手，教给我这个问题怎么解决？"

"儿子，我想在 word 文档里输入数学公式，怎么输进去？"

"儿子，我想开一个博客，怎么做呢？"

……

很多时候，父母提出的问题儿子总能设法给予解决。即使暂时不知如何解决，他也能很快在网上找到解决办法。

让父母想不到的是，到了期末，儿子在学校参加电脑技能大赛获了奖，其他各科的成绩也有了明显的进步。更重要的是，从那时开始，父母与儿子的关系也变得融洽多了。

桐桐很喜欢讲故事、编故事，而且能把故事讲得、编得生动有趣，很吸引人。

为此，妻子送给桐桐一个"故事大王"的雅号，桐桐也很喜欢这个称号。

有一段时间，我们经常在家里给桐桐开"故事会"，借此锻炼她的表达能力、思维能力、编故事的能力，锻炼她的胆量和自信等。

桐桐被封为"故事大王"后，她讲故事的热情更高了，对这项活动也乐此不疲，几乎每天都要给我们讲一个故事。

每天吃过晚饭后，还没等我们收拾好，桐桐就宣布："故事会开始了，故事大王要讲故事了。"

听到桐桐的话，我和妻子急忙端端正正地坐在沙发上，认真地听桐桐讲故事。

不仅在家里，桐桐讲故事的热情日渐高涨，在幼儿园、在小朋友们中间，她也经常显摆一下自己："我是故事大王，我给大家讲个故事。"

如今，桐桐面对众人一点儿也不怯场，只要当众表演节目，她都能大方自如地展现自己，这不能不归功于"故事大王"的锻炼给她带来了自信，让她得到了很好的锻炼。

• • • • • • •

根据孩子的特长和优势给孩子戴一顶"高帽"，这对孩子是一种积极的肯定，对于培养孩子的自信心、让孩子体验成就感和价值感是很有益的。

为此，父母不妨努力发现孩子的特长或优势，并据此赐给孩子一顶"高帽"，并给他展示自己优势的机会，相信孩子的自信和能力都会日渐增长。

 秘笈 32

瞧，我儿子多棒啊

——赞扬需大声

被当众表扬，总会让人觉得很有面子，让人更自信，更有成就感和价值感，对于成人如此，对于孩子更是如此。

桐桐到了快 4 岁的时候，有了主动为爸爸妈妈和奶奶等家人服务的意识。

那段时间，我和妻子每次下班回家，桐桐都会主动跑过来帮我拿拖鞋，接过妻子的背包并放好，或小心翼翼地给我们倒上一杯水。

奶奶有时候腰疼，桐桐就会主动对奶奶说："奶奶，我给你捶捶腰。"然后就抡起小拳头轻轻地给奶奶捶腰。

有一天，表哥一家来我们家做客。交谈中，我、妻子与表哥、表嫂很自然地谈到了孩子的问题上。

"我们家桐桐现在很懂得关心我们，很孝顺，经常帮我们做事，比如帮我们倒茶、扫地、拿东西，帮奶奶捶腰捶背等。"我看了一眼正坐在妈妈旁边的桐桐，对表哥、表嫂说。

"哦，是吗？小桐桐真懂事。"表嫂称赞道。

当众受到了表扬，桐桐很高兴，咧开嘴笑了，而且头也高高地昂了起来。

从这一天开始，有很长一段时间，桐桐就像个欢快的小兔子，每天忙着寻找帮助我们做事的机会。

桐桐帮我们拿碗筷、洗碗，帮我们整理房间、打扫卫生，帮我们洗衣服、择菜，帮奶奶拎东西、梳头发。

更重要的是，从那时开始，桐桐变得更自信、更快乐了，我们之间的关系也变得更亲密了。

我想，桐桐的变化以及她更积极地为我们做事，是我在表哥、表嫂面前对她的表扬起到了很大的作用。

· · ● ● ● ● · ·

被当众表扬，总会让人觉得很有面子，让人更自信、更有成就感和价值感，对于成人如此，对于孩子更是如此。

但可惜的是，我们很多父母不习惯当众表扬孩子，他们认为这会让孩子骄傲，会让孩子放弃努力。其实父母这种想法是错误的。

· · ● ● ● ● · ·

朋友小赵有一次向我讨教教育孩子的"秘诀"。

小赵觉得自己的儿子强强有很多问题：不听话、依赖父母、做事没长性、丢三落四。

　　我明白强强的这些问题其实都是父母的问题，当然我没有直白地跟小赵这样说。

　　我发现，小赵经常批评强强，并且经常当着别人的面批评他。

　　这让强强越来越缺乏自信，在言行上变得越来越退缩，很多事情都没有胆量去尝试、去做，结果就出现了小赵说的那些问题。

　　为此，我给小赵提了一个建议：努力发现儿子的优点，并大声表扬他，最好能当着别人的面表扬他。

　　有一天，强强第一次画了一幅很不错的汽车图画。当时小赵觉得儿子画得还可以，于是他拿着儿子的画左看右看，并不住地点头称赞儿子。

　　然后，小赵又对着在一旁看电视的老婆和强强奶奶大声说："瞧，我儿子多棒啊！画了这么好的一幅画。"

　　受到表扬的强强很开心，那一天，他连续画了一个多小时的画，而且大都是画汽车。

　　这之后，强强总是有事没事地拿出画纸画汽车，画完之后还很自豪地对父母和奶奶说："看，我画的。"像是在炫耀似的。

　　小赵发现这样的表扬会让儿子"骄傲"，以后就很少如此大声地表扬儿子了，儿子做事的状态又回到了从前。

　　"我觉得这样表扬孩子也不好，孩子容易'翘尾巴'，我那天夸了强强的画后，就发现他有些骄傲，只喜欢画画、且只画汽车。"小赵有一次跟我抱怨说。

　　我坦诚地告诉小赵："夸孩子要实事求是、要真诚，不能言不由衷，要夸孩子经过努力实际取得的成绩。而且，不能仅在一个方面夸他，其他方面他做得好的地方都要真诚地表扬他，这样表扬才有效。"

　　小赵若有所悟地点了下头。

一天，桐桐与好朋友莉莉、丁丁、小米几个孩子在院子里玩游戏，我和莉莉、丁丁、小米几个孩子的妈妈一边看孩子们玩，一边聊天。

我和几位妈妈正热烈地交谈着，这时，莉莉哭着来到妈妈的身边，很委屈地说："妈妈，丁丁打我。"

这几个孩子是好朋友，我们这些孩子的家长关系也不错，对其他的孩子也都很关心。

听说自己的儿子打了人，丁丁妈妈急忙走到儿子身边，厉声质问他："你打莉莉了？你怎么这么坏啊？你是哥哥，你若是打妹妹，你就该打。"说着，丁丁妈妈举起手要打儿子。

"你这孩子，真不让我省心。你瞧人家桐桐、小米、莉莉多懂事啊……"丁丁妈妈还在批评着丁丁，莉莉妈妈制止了她。

我发现，丁丁此时有些无地自容，当着这么多人的面被批评的滋味可不好受。

为了不让丁丁受更深的伤害，我故意大声地说："其实丁丁很不错的，比如他刚才做游戏时，动作多灵活啊、跑得多快啊。他打人可能有他的理由，是不是丁丁？"

丁丁见我在帮他说话，感激地看了看我。

"是啊，我觉得丁丁做事情动作很灵活，跑得很快，身体很棒。"莉莉妈妈也附和着说。

"对，丁丁的眼睛很亮，很好看。"小米妈妈也说。

见这么多人夸自己，丁丁不好意思地笑了。

不一会儿，几个孩子又开心地玩在了一起。

大声表扬孩子，甚至让周围的第三人、第四人、第五人……能够听到这种表扬，这比直接面对孩子说出表扬的话更有效，更能激发孩子的积极性、主动性和潜能发挥。

每个孩子都希望自己在别人的眼中是可爱的、优秀的、了不起的，希望自己的努力和成就能被认可、被欣赏，而大声或当众表扬孩子就满足了他的这种心理需求。

所以，当孩子有了成绩和进步时，父母不妨大声地表扬孩子，这将是孩子继续努力的动力。

太好了，再来一遍

——打铁要趁热

没有及时表扬孩子，或者过了一段时间，等孩子热情下降了，才去表扬孩子，这种做法往往会错失教育的良机，会浇灭孩子继续做事的热情和积极性。

桐桐 3 岁的时候，开始帮助我们扫地。

一个星期天，桐桐先于我起床了。迷迷糊糊中，我听见卧室里咣咣咣地响，勉强睁开了眼睛，发现桐桐拿着几乎和她一样高的笤帚在扫地。

见我半睁着眼睛看她，桐桐很高兴地对我说："爸爸，看我扫的地。"

我躺在床上，一边"嗯嗯"地应着她，一边闭上眼又要睡去。

一会儿，桐桐伸手来扯我的被子："爸爸，你看嘛，我扫的地。"

我睁了一下眼，继续睡，没有理她。

一会儿，我听到桐桐对妈妈说："妈妈，你看，我扫的地。"

不知妻子当时在忙什么，她不耐烦地回答女儿说："你扫的地？扫得不干净，回头我还得扫。"

接下来是一片寂静。

等我起床洗漱完毕，发现桐桐正坐在自己的房间里，胡乱地扯着一张广告纸，笤帚倒在一边的地上。

我没有理会桐桐，继续忙自己的事情。

过了一会儿，我才想起桐桐扫地受到冷落的事情。我想，桐桐的积极性可能受到了打击，于是我对她说："对不起，宝贝，你刚才扫地，爸爸还在睡觉。我现在告诉你，你很棒，能够帮爸爸妈妈扫地了，我很高兴。"

可是，桐桐听了我的话之后，还是面无表情，站起身来玩她的拼图去了。

很多父母常会犯这种错误：在孩子取得成绩和进步的时候，在孩子为此兴致正高涨的时候，没有及时表扬孩子，或者过了一段时间，等孩子热情下降了，才去表扬孩子，这种做法往往会错失教育的良机，会浇灭孩子继续做事的热情和积极性。这样的话，孩子相应的积极行为就很可能会逐渐消退，甚至再也没有热情去做这件事了。

此后，我就非常注意，桐桐无论做什么事情，只要她取得了成就或有了进步，尤其是她自己意识到自己有了成就和进步时，我都会及时表扬和鼓励她，以保持她的积极性和热情。

在幼儿园学会了用纸折小鸟之后，桐桐回到家就迫不及待地向我和妻子显摆。我和妻子外出时，常会收到一些花花绿绿的广告册和宣传纸，我们就把这些纸收集起来，以供桐桐做手工或剪纸用。

那天，桐桐回到家，就拿出几张广告纸，开始折小鸟。

我和妻子一边看电视，一边时不时地看一眼女儿折的小鸟。

许久，桐桐折成了一个小鸟，她非常高兴地拿给我和妻子看。桐桐的手还不够灵活，在折纸或裁剪纸的时候还不够整齐标准，所以折出的小鸟也不够像样。说实话，不仔细看，她折的这个东西几乎看不出是小鸟来。

但桐桐对自己有始有终地做出来的"作品"很有成就感，不时地拿着它在我和妻子面前晃来晃去，还夸耀说："老师说，班里数我做的小鸟最好了。"

见桐桐兴致很高，我连忙将"小鸟"接过来，左看右看，然后对她说："嗯，不错，再折一个，一定会比这个更好。"

桐桐又高兴地折了一个小鸟，果然比第一个好多了。

桐桐第一次很认真地说画画的时候，她还只有不到两岁。那次，她的画在我们成人看来简直是胡抹乱画，几根线条杂乱无章地分布在一张大白纸上，笔墨浓淡不一也不流畅。

桐桐画完后，拿着画纸飞快地跑到厨房，很兴奋地对正在炒菜的妈妈大喊："妈妈，看我画的大房子。"就像那是一件了不起的大作。

妻子当时正忙着炒菜，转头看了一眼，"嗯"了一声，就继续炒菜了。

"妈妈，你看嘛，看我画得好不好？"桐桐在一旁扯着妈妈的衣角继续问。

"没看我正忙着吗？别捣乱，一边去。"妻子不耐烦地对女儿说。

遭到训斥的桐桐很沮丧地拿着画纸走出了厨房，她低着头，情绪明显低落了。

看到桐桐不开心的表情，我忙走上前去，拿过画纸，很认真地看了看。这是桐桐第一次真正意义上的"画作"，我要保护她作画的兴趣。

于是，我很认真地对她说："桐桐，你画的这是房子是吧？画得太棒了，爸爸像你这么大的时候还什么都不会画呢！"

听到我的夸奖，桐桐脸上顿时绽开了笑容，忙不迭地跟我说："这是我画的，可是妈妈不看。爸爸你说，我画得好吗？"

"好，好，桐桐比爸爸画得棒多了。来，桐桐，再画一张，你会画得更好。"

桐桐听了我的画，喜滋滋地，赶紧跑到茶几旁，拿出另一张纸，又开始画起来。桐桐画好之后，我又很认真地欣赏了一番，并啧啧地称赞了她一番。桐桐为此兴致大增，连画了好几幅，线条越来越流畅，笔墨浓淡也越来越匀称。虽然还全然看不出房子的雏形，但已经比第一幅画进步很多了。

在孩子取得成绩和进步的当时，或者在孩子有一点儿成就感的意识时，父母要及时对孩子提出表扬，这会对孩子积极的行为有很大的促进作用。

因为此时，孩子几乎将所有的注意力和精力都集中在这件事上，他的兴奋点都在这件事情上。父母此时的表扬，会让孩子更兴奋、更富有积极性和创造性。打铁要趁热，父母对孩子的表扬要及时，在孩子取得成绩或进步的当时，要及时提出表扬，否则，表扬的效果就会大大下降。

妈妈也有责任

——批评孩子前先自我批评

> 在孩子出了问题时，如果父母能先检讨自己的做法和自己的教育方式哪里有问题，接下来的对话和对孩子的教育就很容易让孩子接受，也会有更好的效果了。

我在去一所中学参观学习的时候，碰到一件让我很有感触的事情！

当时正是大课间，一位妈妈拿着一本书来到一间教室门口。女儿把书落在了家里，妈妈给她送来了。

当时，我和随同的几位老师正巧经过她们的身边，真切地听到了母女俩的对话，她们的谈话引起了我的深思。

妈妈抚了抚女儿的头发，温和地对女儿说："我发现你的书本忘在家里了，就给你送来了，没耽误你用吧？"

"谢谢老妈，你来得真及时，下一节课就要用到。我发现书本忘带后，本打算与同桌合用一本呢，没想到你给我送来了。都怪我太粗心了，丢三落四的。"女儿不好意思地说。

"妈妈也有责任，我有时候就丢三落四的，没有给你做个好榜样，没有帮你养成好习惯。"妈妈接过女儿的话茬说。

陪同我们参观的一位老师正巧是这个女孩所在年级的年级组长，也是女孩的班主任，她告诉我："这个女生是个很有责任感的学生，不论什么事情都善于做自我检讨，而不是指责、埋怨别人和环境，所以她人缘很好，老师和同学都很喜欢她。"

我在想，这个女孩有这样的气度，十有八九与妈妈也善于自我批评、自我检讨有关。

当前，很多父母发现孩子的错误后，只习惯于指责孩子，如果发现孩子忘了带书本，就会批评孩子说："你怎么这么粗心？""你怎么总是丢三落四的啊？"……

这样的指责往往会让孩子的心情变得很糟，可能会恶化亲子关系，阻碍亲子沟通。

在孩子出了问题时，如果父母能先检讨自己的做法和自己的教育方式哪里有问题，接下来的对话和对孩子的教育就很容易让孩子接受，也会有更好的效果了。

这让我想起了自己初中时发生的一件事：

有一天，我从外面玩了个把小时后回到家。因为兴奋，我蹦跳着跑进了正屋，我跑的时候没看前面的路，眼睛只顾着看正屋墙上新挂上去的那幅画了。

结果，一不留神，我踢倒了放在屋门口的一个东西，同时听到了很大的"咚"的一声响。

我低头一看，是一个大暖瓶，水在地上到处蔓延，暖瓶胆碎了。

父亲听到响声从里屋走出来，发现眼前的状况后，对我就是一顿狠狠的责备："你这孩子，没长眼睛啊？你妈刚烧好的水就让你给弄'瞎'了，你的眼睛干吗使的？这下好了，水也'瞎'了，暖瓶也'瞎'了，你气死我了！"

父亲的责备让我很恼火，我赶忙为自己的过失辩解："你把暖瓶放的也不是地方啊，怎么能放在门口呢？放在这里，谁来了都会碰倒的。"

"你还犟？你办事毛毛躁躁的，还有理了？你这孩子真让我操心。"父亲大概是心疼那一壶水和那个还没用多久的新暖瓶。

我气不过，转身想退到屋外去，父亲生气地叫住我，指着地上的水和碎了的暖瓶胆，严厉地对我说："你干吗去？你做了错事还想逃？回来，把这打扫干净！"

我窝了一肚子火，开始很不情愿地收拾残局，心里仍对父亲怀有怨恨："真不讲理，明明你自己把暖瓶放的不是地方，却只责备我。"

接下来好多天，我都对这件事耿耿于怀，没有从心里原谅父亲。

有一天，我一个大学同学到北京来出差，晚上住在我们家。

因为多年不见，那天晚上，我跟老同学看电视、喝酒、嗑瓜子、聊天，一直折腾到半夜。我们这样尽兴，结果忽略并影响了桐桐，折腾得她也很晚才睡觉。

第二天，同学很早就起床走了，我也不得不早起。可是喊桐桐起床却很费了一番工夫。

送走了同学，正巧也到了桐桐该起床上学的时间，我就招呼桐桐："桐桐，该起床了，再不起床上学就迟到了啊！"

桐桐睡得死沉死沉，一动也不动，好像没有听到我的喊叫。

"桐桐，该起床了，快起床吃饭上学去!"我用力推了桐桐一把。桐桐哼哼了一声，睁开了眼。

我去准备桐桐的早餐，然后去整理自己的房间。

过了许久，等我回到桐桐的房间，发现她还在睡。

这下，我有些火了。即使桐桐现在马上动身，上学也会迟到，更何况她还没有起床、洗漱、吃早餐。

"你这孩子，怎么还不起床? 你已经迟到了啊! 我知道你没睡够，你晚上早一点儿睡觉不就行了吗? 真让我操心。"我生气地说。

过了一会儿，看着桐桐一副昏昏欲睡的样子，看着她撅着嘴巴很痛苦的样子，我忽然有些心疼，意识到了自己的错误。

"真对不起，爸爸昨晚说话吵得你没法睡觉，让你睡不够觉，刚才爸爸也不该吵你，你原谅爸爸好吗? 你要是困就再睡一会儿吧，你迟到了我跟老师解释。"

听到我这样说，桐桐勉强笑了笑，又躺了一会儿后，才爬起来，开始穿衣服。

上面的事例告诉我们，在批评孩子前，父母先做自我批评，这常常能让孩子获得心理平衡，使他感受到父母对自己的尊重和平等的态度。

事实上，孩子的很多问题，父母也都有责任。父母能够坦诚自己的过失，孩子往往也能够主动认识到自己的错误，并乐意去改正。

因而，要做成功的父母，在批评孩子前，父母最好先做自我批评。这样，孩子才更愿意听取父母的批评意见。

秘笈35 花瓶打碎了你很难过吧

——先把孩子心中的"褶皱"抚平

> 在批评孩子后，父母要给予孩子适当的安慰，设法把他心中的"褶皱"抚平，避免他遭受更大的心灵伤害。

堂妹的儿子宁宁今年不到4岁，很喜欢小动物。

有一天，我带桐桐去堂妹家做客，堂妹买了一条足有2斤重的大活鱼，暂时把鱼养在了一个大塑料盆里。宁宁发现后，好奇地蹲在了塑料盆边开始玩鱼。

宁宁先从厨房里拿来几片芹菜叶和一小块馒头，一点一点地要塞进鱼的嘴巴里。鱼不吃芹菜叶和馒头，嘴巴咕嘟咕嘟地往外冒泡，宁宁就把自己的手指伸进鱼的嘴里。

宁宁开心地看着鱼的嘴巴一开一合，不时把芹菜叶或馒头塞进鱼的嘴里或者冒着气泡的鳃部。而鱼恐慌地在水里游来游去，摆动的尾巴还不时溅起一片片水花来。最后，宁宁抓住鱼的尾巴在水里来回摇，然后又抓着鱼的脊背不停地晃。不一会儿，宁宁的衣服上、鞋子上都溅满了水。

宁宁妈妈一会儿走了过来，发现鱼盆周围和宁宁的衣服上到处都是水，就冲着他大声嚷："这孩子，气死我了。别玩了！衣服都湿了，怎么穿啊?"说完揍了他一下。

妈妈的吼声把宁宁吓住了，他马上停止了动作，满脸委屈，一副要哭的样子。见此情景，我忙走上前去，温和地问宁宁："你很喜欢玩鱼是吗?"

宁宁点点头。

"妈妈不让你玩鱼，你很不高兴，是吗?"

宁宁又点头。

"舅舅知道，妈妈不让你玩，你很难过。但你玩鱼妈妈不高兴，那怎么办呢?"

宁宁不说话。

"那玩一会儿后就别玩了，这样你也高兴了，妈妈也高兴了，是不是?"

经过几分钟时间的情绪缓冲，以及我刚才的安慰，宁宁被妈妈训斥的不快已逐渐消失，听到我的问话，他爽快地点了点头，然后高兴地去跟妈妈换衣服了。

孩子做错事，遭到父母的批评，会很难过。此时，如果父母不顾孩子的感受，批评他后对他不理不睬，孩子心中的伤口上就像被撒了盐。

这个时候，孩子心里就开始有了褶皱，会难过、会委屈，甚至会以不理智的行为，比如摔东西、哭闹来表达伤痛。

在批评孩子后，父母要给予孩子适当的安慰，设法把他心中的"褶皱"抚平，避免他遭受更大的心灵伤害。

有一段时间，妻子要去外地出差很长时间。桐桐知道后，有些不高兴，她对妈妈说："我不要妈妈出差。"

妻子安慰桐桐说："妈妈很快就会回来。桐桐在家乖乖地等着妈妈回来，好不好？"

妻子好说歹说，桐桐勉强答应了。吃好早饭，妻子准备动身。就在这时，她发现自己的手提包不见了，就招呼我一起在房间里、客厅里四处寻找。

找遍了妻子有可能放手提包的所有地方，依然一无所获。开车的时间很快就要到了，妻子很着急。

这时，妻子想到了桐桐，悄声问我："会不会是她干的？"

我不置可否。

妻子马上来到书房，问正在看书的桐桐："桐桐，你看见妈妈的手提包了吗？"

桐桐不说话，摇了摇头。

我和妻子继续寻找，还是不见踪影。

这时，妻子好像觉得有什么不对劲，又去问桐桐："告诉妈妈，你有没有看见妈妈的手提包？妈妈要出差，很着急，必须带手提包才能走。"

桐桐始终犹犹豫豫不说话，这下，妻子断定一定是桐桐把她的手提包藏在哪儿了。妻子有些生气："你说啊，是不是你把妈妈的手提包藏起来了？"

桐桐还是不说话，妻子更火了，大声责问她："你这孩子存心气死我啊？你快说啊，放到哪里了？"

见桐桐的表情越来越紧张，我忙走上前，蹲下来，温和地问她："桐桐，是不是你把妈妈的手提包放在哪里了？你告诉爸爸，爸爸不会生气的。"

桐桐看看我，又看看妈妈，嘴巴张了张，许久，她才用手指了指衣柜的一个门。

我示意妻子，她忙打开衣柜门，手提包正端端正正地躺在一堆衣服上。

妻子拿出手提包，恶狠狠地对桐桐说："回来收拾你！"

桐桐被妈妈的表情吓得要哭，一动不动地站在那里。

我忙对妻子说："你赶快走吧，打车过去，我来处理这事。"

妻子走后，我看到桐桐还是慌张得手足无措，眼泪已经在眼眶里打转转了，惊恐地望着我。我虽然也不满桐桐的做法，但我能理解，她是不想让妈妈离开家。她知道手提包是妈妈无论去哪里都带在身上的，就想用这种方法留住妈妈。

　　深呼了一口气，我走到桐桐身边，耐心地问她："你为什么要把妈妈的手提包放在衣柜里？"

　　桐桐依然不说话，她大概知道自己做错了，似乎很愧疚。

　　"你是不是不想让妈妈走，所以才把妈妈的手提包藏起来？"

　　桐桐勉强点了点头，依然惊恐地望着我。

　　"你这样做，妈妈很生气，妈妈要是因为找不到手提包而赶不上车，就会耽误工作，很多事做不成，这样妈妈就会受领导的批评，也不能给桐桐挣到更多的钱……"我耐心地给桐桐讲解着。

　　桐桐眼中的泪水已滑落，嘴巴咧开着，忍不住要哭的样子。她的表情告诉我，她很为自己的做法而歉疚、自责。

　　此时，我连忙说："爸爸知道你很难过，觉得自己不该这样做。你要是难过就哭出来吧！"

　　桐桐果真"哇"的一声哭了起来，我双手把她抱在自己的怀里，轻拍着她的背，任凭她哭。

　　一会儿，桐桐的哭声渐弱，逐渐变成了啜泣，慢慢地，她止住了哭，揉了揉眼睛，看了看我。我趁机对桐桐说："没事了，你看桐桐都哭成了个小花猫脸，好了，爸爸不怪你，以后你不要这样做就是了，好不好？"

　　桐桐点了点头，笑了笑。

　　很多时候，孩子意识到自己做错事后，会愧疚、自责，也会很难过。此时，孩子需要的不是父母严厉的批评和训斥，而是理解和抚慰。

　　所以，孩子意识到自己犯错后，父母先不要急于批评他，而是要设法抚慰他，抚平他心中的"褶皱"。最后，在孩子的情绪平复之后，父母要告诉他以后不要这样做，告诉他正确的做事方法。

秘笈 36　来，我跟你说点儿悄悄话

——批评要小声

父母在别人面前数落孩子的不是，对于自尊心强的孩子而言是难以接受的，这样当众批评比私下批评对孩子的伤害要大得多。

有一次，我到南方某地出差办事。办完事情，我顺便去看望大学同学老韩。老韩的爱人为我们做了一桌子丰盛的饭菜，我和老韩就边吃、边喝、边聊。酒至半酣，我们话匣子就都打开了，聊工作、聊生活、聊孩子、聊人生、聊理想和事业……

当时，老韩读小学三年级的儿子辛辛正在一旁看电视。一会儿，我们都谈到了父母们都关心的孩子问题。老韩看了儿子一眼，对我说："我这儿子，有时真让我犯愁，不听话、调皮……前段时间，他整天就知道玩游戏机，上课玩、下课玩、在家玩、在学校玩。前几天在学校玩，还被老师抓住了，结果游戏机被没收了，还被当面批评，真丢人。"

辛辛耳尖，听到了我们的谈话，他转过头来看我们，白了爸爸一眼。其实在我看来，辛辛已经很不错了，聪明，灵活，有主见，学习、体育、音乐等各方面都不错。可老韩仍不满意自己的儿子。

老韩的话被辛辛听得清清楚楚，辛辛很不高兴地嘟囔了一句。

老韩见状，看着我，取笑儿子说："你看你看，他还不服气呢！"

辛辛很生气地对爸爸说："我已经不玩游戏机了。都已经过去了，你还

讲。你后来不是批评我了吗？怎么还提啊？"

"你瞧，这小子，还有理了！"老韩一面笑着对我说，一面又转头对儿子说，"爸爸是为你好，我是在提醒你，可别老想着玩，不能因为玩而荒废了学习。"

辛辛听到这里，脸色很难看，他生气地扔下了遥控器，转身进了自己的房间，"嘭"的一声关上了门。

⚫ ⚫ ⚫ ⚫ ⚫

父母在别人面前数落孩子的不是，对于自尊心强的孩子而言是难以接受的，这样当众批评比私下批评对孩子的伤害要大得多。

希望别人认可和欣赏自己，而不希望别人窥见自己的缺点和不足，这是人的本性，也是有了强烈自我意识的孩子的本性和心理需求。

父母在批评孩子的时候，千万要照顾到他的这种本性和需求。

⚫ ⚫ ⚫ ⚫ ⚫

一位高中生的母亲曾向我咨询孩子教育的问题。她焦虑地对我说："我儿子读高一，他中考前后变化特别大，问题很多。跟人说话不敢抬头，做事没有自信，很多同学都不愿意跟他交往，学习成绩也越来越糟。在家，他几乎不和我们说话，除了吃饭时间，他大多都封闭在自己的小屋里。我们问他话，他最多只会'嗯''啊''还行'地应付我们，我们的话他更听不进去，真愁死人。在初中的时候，他可不这样啊，那个时候，他很阳光、很自信，也讨人喜欢。不知道他为什么现在变成这样了。"

我没有对这位妈妈的话做任何评判，我想，她的儿子出现这种变化一定是有原因的，因此我提出与她的儿子交流一下。

果然，男孩告诉我，在他初三的时候，一次放学后，因为考试成绩不理想，妈妈当着很多同学的面对他破口大骂："你考得这么差，

真没用,吃那么多饭都白吃了?你说我养你有什么用……"

从那以后,男孩就觉得在同学面前"抬不起头来",总觉得同学们在对自己评头品足,觉得同学瞧不起自己、开始疏远自己。男孩变得自卑、敏感、多疑,也开始恨妈妈、恨自己的"无能"。而这,正是他向父母封闭自己,疏远同学的主要原因,这也影响了他的生活和学习。

与表扬相反,批评孩子时,要小声。无论孩子犯的错误有多大、多严重,批评都尽可能要小声,因为小声批评更能保全孩子的面子,从而使他更愿意接受批评。小声批评,就是音量要小,不要冲着孩子大吼大叫。

还有,父母不要当众批评孩子,最好私下批评,要尽量不让周围的人听到批评孩子的话,不让周围的人看到自己批评孩子的行为。

秘笈 37 这一笔要是再长一点儿就更好了

——纠错需委婉

在孩子某事没有做好或犯了错时,如果父母不顾孩子的感受,直接当众纠正孩子的错误,甚至带着厌弃的表情指责孩子的错误,就很容易伤害孩子的自尊心。

一个星期天,我们一些学前班和一年级孩子的家长们联合,为孩子们举办了一次"群星会",目的就是让孩子们有一个展示自己、锻炼自己的机会。

"群星会"的节目五花八门,是父母和孩子们一起想出来的,有口技、唱歌、舞蹈、画画、讲故事等表演，还有写字比赛、算术比赛、穿珠子比赛等项目。

在写字比赛时，有七八个孩子的热情都很高，他们大都刚开始正经八百地学习写字，都跃跃欲试要写出最好看的字。

我和几个家长走到孩子们身后观看他们写的字。我发现，莉莉不知是因为紧张，还是因为确实是写字还不够熟练，她的字写得歪歪扭扭，很难看。

莉莉妈妈见女儿写得这样难看，脸上有些不悦，一边对女儿的字指指点点，一边唠唠叨叨：

"你怎么不好好写呢？你看这个字的这一横太长了，这一笔太短了。"

"这个字怎么趴着啊？丑死了。"

"这个字少一撇，这怎么行啊？要是把你的胳膊也割掉一只，行不行？真笨。"

……

妈妈的话让莉莉很不快，莉莉紧绷起脸，闷闷不乐地低着头，写字的速度也慢了下来。

"你赶快写，好好写啊！"莉莉妈妈催促道。

莉莉更加焦虑不安，她索性扔下笔，不肯写了。

我知道，莉莉妈妈对女儿这样直白地纠错会给她很大的打击，尤其是当众纠她的错，这可能对孩子造成很大的心理伤害。

于是，我走上前，拿起莉莉的写字本，看了一会儿，指着其中的几个字，大声说："其实莉莉写的很好啊，你们看，这个字这一撇写得多流畅，这个字这一横多直啊！"

我发现，莉莉的脸开始舒展了。

"这个字在格子内的笔画分布很均匀，这一笔要是再长一点儿就更好了。莉莉你继续写，你会写得更好。"我接着说。

莉莉的小脸上有了笑，她抓起笔，又开始一笔一画地慢慢写起来。

每个孩子都希望自己能把事情做对、做好，让父母满意，得到父母的认

可和欣赏。

被否定常常会让人感觉没面子，孩子也是如此。在孩子某事没有做好或犯了错时，如果父母不顾孩子的感受，直接当众纠正孩子的错误，甚至带着厌弃的表情指责孩子的错误，就很容易伤害孩子的自尊心。

一位朋友跟我谈起过教育孩子的一件事：

这位朋友的女儿珊珊11岁，乖巧听话，一直很让父母省心。

有一天下午，珊珊爸爸出差回家。因为工作辛苦，加上前一天晚上一夜未睡，爸爸很累了，回到家脱掉外套就倒在床上呼呼大睡。

那一天，珊珊因为考试得了第一名，同时又被同学们推举为班里的学习委员，放学回到家后很高兴。回到家后，珊珊见爸爸正在睡觉，就跟妈妈说了这个好消息。妈妈表扬和鼓励了女儿一番，就忙自己的事情去了。

喜欢唱歌的珊珊这时又打开了DVD，开始跟着音乐大声唱起了歌。

在房间里做事的妈妈听到吵闹的音乐声，急忙走出来，用手指了指爸爸正在休息的那个卧室，小声幽默地对女儿说："爸爸或许不该在这个时候睡觉。"

懂事的珊珊会意，她知道爸爸累了，也知道妈妈的意思，连忙关掉了DVD，并歉意地对妈妈说："哦，我忘了爸爸在睡觉。"

我的一位朋友是个很善于体谅孩子感受的妈妈，她的女儿小凡正处于青春期，在孩子犯错的时候，小凡妈妈常说的一句话是："我要是你的话，我就会……"

处于青春期的孩子自尊心都很强，而且他们更渴望得到别人的认可和欣赏，被人指出自己的错误可能会带给他们一定的心理伤害。小凡妈妈深知这一点，在对待女儿的错误或不足时，她就十分注意。

有一次，小凡因为某个问题与好朋友意见不统一起了争执，好强的她始终坚持自己的意见，即使后来意识到是自己错了，她也抹不开面子向朋友认错。就这样，两个好朋友有了隔阂，好长时间谁都不理谁，小凡不知道该怎么办了。

妈妈知道这件事后，与女儿谈心，她温和地对女儿说："我理解你的感受，好朋友有了矛盾总让人心里不舒服。每个人都想让别人认可自己，更何况你的观点也有一定的道理。不过，我觉得你朋友的想法更好一些。如果我是你的话，我会很真诚地对朋友说：'我认真地想了想，觉得你的想法更好，我当时怎么就没有想到这一点呢？我考虑问题有点儿片面了。'

"我觉得你这样做的话并不会让你掉价，反而体现了你的包容及真诚，这样做会让好朋友很受用，这不仅提升了你自己，也使两个人的关系更融洽。"

在妈妈的启发下，小凡经过一番思考，主动跟好朋友认了错，两个人又和好如初了。

孩子犯错是难免的，但有时候，孩子可能自己意识不到犯错了，这需要父母帮助孩子纠正错误，以免孩子误入歧途。

但是如何纠正孩子的错误是个学问，这其中最重要的是要考虑孩子的感受和心理，尽量不伤害孩子的自尊心。

像上面这两位妈妈一样，在纠正孩子的错误时，给孩子留面子，委婉地指出孩子的错误，孩子往往会更容易接受。

秘笈 38 你想帮妈妈干活，我很高兴⋯⋯

——先给一颗糖，再轻打一巴掌

> 这种上来就直接打孩子"巴掌"的批评方式，常常会打击孩子的积极性和主动性，降低孩子继续做事的热情，不利于孩子潜能的发挥。

在小学三年级的时候，有一天，我突然意识到妈妈操持家务、忙里忙外很累，从不干家务的我就想帮助她做点儿事情。

我屋里屋外巡视了一会儿，发现堂屋的地很脏，就跑到门后，拿起笤帚准备扫地。

那时，在妈妈眼里，我还是个"毛手毛脚的愣小子"。这次扫地时，我自然也是胡乱地划拉着地上的纸屑、瓜子壳。经过堂屋去睡房的妈妈见我在扫地，随口说了一句："哟，今天这么勤快啊！"

妈妈的口气让我觉得不太自然，我没有说话，依然漫不经心地扫地。

我家堂屋面积很大，是水泥地面，地上扔了很多纸屑、瓜子皮等垃圾，水泥地面上还有一层土。好不容易扫完了地，我热得出了一身汗，急忙用簸箕把垃圾收了起来，感觉像是完成了一项重要任务。

一会儿，妈妈从睡房里出来，她看了看我扫过的地，皱着眉对我说："你看看你扫的什么地啊？这么不干净，你瞧瞧，地上还有这么多瓜子皮，那里还有一小块儿香蕉皮没扫起来呢！"

我不好意思地笑了笑。

"你还不如不干呢！你扫不干净，我还得再扫一遍。你啊，什么都干不好，真让我操心！"妈妈接着说了一句。

本以为自己能主动劳动是个很大的进步，没想到还是被妈妈奚落，我心里很不痛快，直埋怨妈妈："我主动帮你干活就不错了，你还挑三拣四。"

自那以后，我再也不愿做家务劳动了，总担心费力不讨好。

这是很多父母常犯的错误，父母总习惯于找孩子做事的不足，而看不到其可取之处，而且，父母常常会就这些不足不留情面地批评孩子。

这种上来就直接打孩子"巴掌"的批评方式，常常会打击孩子的积极性和主动性，降低孩子继续做事的热情，不利于孩子潜能的发挥。这种做法，是父母要努力避免的。

我和妻子做事的时候，桐桐有时候喜欢来"凑热闹"，满怀热情地要帮我们。

有一次，妻子正在整理房间，当时刚刚 3 岁的桐桐发现了，就屁颠屁颠地跑到了妈妈身边："妈妈，我来整理房间。"

妻子怕女儿"越帮越忙"，就拒绝了她："不行，你帮不了我，你去画画好不好？"

"不，我不画画，我整理房间。"桐桐说完，就跑到我们的卧室开始忙活起来。她发现，原来挂在墙上的一串珠子不知怎么跑到了妈妈的梳妆台上，就顺手拿起来要挂到墙上去。不想，那穿珠子的线已经断了，桐桐拿起来时，几粒珠子滚到了地上。

桐桐见状，觉得滚珠子很好玩，

就将线上的珠子一一往下扯，并高高举起让其自然落地，然后看着珠子滚得房间里到处都是。

不一会儿，房间的地上满是玉米粒大小的珠子。

正走进卧室的妻子发现了满地的珠子，而桐桐正开心地望着地上四处滚动的一粒粒珠子笑。妻子皱了皱眉，心想这孩子真是越帮越忙，就有些不满地对桐桐说："哎呀，你捣乱啊！"

桐桐见妈妈生气了，就停止了往地上扔珠子。

这一次，妻子没有继续训斥桐桐，而是耐住性子对她说："宝贝，你想帮妈妈干活，说明你是个好孩子，妈妈很高兴。但是你把珠子都扔在地上，妈妈很不喜欢，很生气。"

听妈妈这样说，桐桐有些不好意思，静立了几秒钟后，她便弯下腰去，捡起了四处散落的珠子，并一颗一颗很认真地穿到了线上。

有一天，桐桐拿来画笔和纸张，要给妈妈画像。桐桐先画出一个梳着马尾辫的人头，画上了眼睛、嘴巴、鼻子、耳朵等部位，接着开始画头部以下的部分。一不小心，桐桐拿笔的手没有控制好，脖子处的那条线拖得很长，几乎有三个脑袋那么长。桐桐见后，咧开嘴大笑起来，她索性将错就错，按这样的长度画下去。所以，妈妈的"脖子"就很长了。

桐桐开心地大叫："妈妈的脖子成了长颈鹿的脖子。"

听到桐桐的话，妻子走过来要看个究竟。发现桐桐将她画得如此"丑陋"，妻子对着她撒娇似的撅起了嘴巴："你把妈妈的眼睛画得很漂亮，妈妈很喜欢。但是脖子这儿太长了，太丑了，妈妈很难过。"

桐桐停住了手中的笔，把眼前的这张纸揉成了一团，重新拿过一张纸，说："我重新画一张。"

"这一次把妈妈画得漂亮一点儿啊！"妻子笑着说。

"好。"桐桐又开心地拿笔开始给妈妈画像。

事实上，孩子做的每一件事情，或许有某些不足，但也总有其可取之处。

当孩子没有做好时，父母最应避免的是，对孩子所做的事情的可取之处视而不见，反而就不足之处大做文章。

此时，有效的批评方式是，先肯定孩子做的事情的可取之处，然后再委婉地指出孩子的不足。也就是说，要先给孩子一颗糖，再轻打一巴掌。先让孩子尝到甜头，这样他接受父母的批评就容易多了。

小狗走错了门

——让批评拐道弯

对孩子来说，父母对他太过直接且严厉的批评常常会让他心里产生不快，使其心灵受到一定程度的伤害。

我曾经在一本书上看到过一个故事，至今记忆犹新。

有一个四五岁的小女孩，妈妈给她买了一只宠物狗。女孩非常喜欢这只小狗，每天都要和它玩很久，每天外出几乎都要带上小狗。

有一天，妈妈要带女儿去超市买东西，女儿死活也要带着小狗去。妈妈拗不过，就同意了，她心想：把小狗放在购物车里进超市，应该没问题。

在超市门口，母女俩被守在门口的保安挡住了。保安是个四五十岁的中年男人，很和善，对每个人都露出笑脸。他发现小女孩要带小狗进超市，就走上

前来，蹲下来，微笑着对小女孩说："小朋友，这只小狗是你的吗？"

女孩自豪地点了点头。

"这只小狗真可爱，你一定很喜欢它吧！"

小女孩又一次点了点头。

"小朋友，你看，从这个门进去的都是人，没有小狗。你的小狗是不是走错了门？超市里这么多人，小狗进去后被人撞倒怎么办啊？"保安指着人们进进出出的超市门对小女孩说。

一旁的妈妈明白了保安的意思，就对女儿说："小狗是不能进超市的，这么大的超市，它跑丢了就找不到了。我们先把小狗送回家，再回来买东西，好不好？"

经过保安和妈妈的一番劝解，女孩同意把小狗送回家，然后再回来购物。

· · · • ● ● • · ·

对孩子来说，父母对他太过直接且严厉的批评常常会让他心里产生不快，使其心灵受到一定程度的伤害。为了避免这种不快伤害自己的自尊，孩子可能会与父母形成对抗，置父母的批评于不顾，甚至与父母对着干。

而让批评拐道弯，如上面这位保安那样，孩子往往会更容易接受。

· · · • ● ● • · ·

有一段时间，桐桐特别喜欢吃草莓，天天嚷嚷着要吃草莓。

有一天，我买了 2 斤草莓回家，奶奶给桐桐洗了一些草莓，放在了水果盘里。桐桐双手抱着水果盘，放到了茶几的另一头，开始吃起来。见我和奶奶、妈妈都在望着她，她吃得更快了，三口两口就吃完一个，嘴里还有没咽下的草莓，她就又拿起另一个开始咬，仿佛怕别人跟她抢。

奶奶不住地在一旁对桐桐说："你慢一点儿吃，没人跟你抢。"

一会儿工夫，桐桐就吃下了两三个大草莓。由于吃得快，在每一个草莓根部，桐桐总会留下一大块草莓肉，连同根部的柄一起扔掉了。

我没有直接批评桐桐浪费，而是拿起一个还带着草莓果肉的柄，指着上面的果肉问桐桐："这是什么？"

"草莓。"

"草莓是谁种的？"

"农民伯伯。"

"对。农民伯伯种草莓很辛苦，要浇水，要施肥，还要喷药防止虫子吃掉草莓，是不是？"

"是。"桐桐在农村体验过农民种植庄稼的辛苦。

"草莓是用谁的钱买来的？"

"爸爸妈妈的钱。"

"是的。爸爸妈妈每天挣钱也很辛苦，这些钱不仅要给你买草莓吃，还要买好多好多我们家都需要的东西……"

我不紧不慢地说着。桐桐已经上小学，是个开始懂事的孩子，我说了那么多，她已经明白了我的意思。她冲着我不好意思地笑了笑，捡起桌上还带着草莓肉的柄，把那些草莓肉都吃掉了。

小时候，我们的邻居中有一位孤寡老大娘。那个时候，我正是精力旺盛的少年，偶尔会搞些恶作剧。

有一天，我偷偷地将这位大娘的大门在外面插死了（就是将一根铁条穿进两扇门的门鼻儿中，在里面是开不开门的）。这样，老人就不能出门了，只能待在家里。那时还不到午饭时间，村民们都到田里去劳动了。而我将老人的大门插死后就去找伙伴玩去了。

妈妈从田里回家后，听到了老人在家里的叫喊声。妈妈过去后，发现老人被关在自己家里出不来，就把门给她打开了。后来，妈妈了解到，这件事是我做的，她虽然很生气，但没有直接批评我，而是给我讲起了老人的身世。

妈妈说："老大娘的儿子和老伴都去世了，女儿嫁人后也生病死了，她就这样一个人生活着，真不容易。她有几个远房亲戚，但是住得很远，也难以照顾她。远亲不如近邻，我们这些邻居就算是她的亲人了。如果我们再给她制造一些麻烦，那就真的是天理不容了……"

妈妈凝重的表情和讲述让我意识到了自己的错误，也感受到了老人的不易。从那时起，我对这位老人敬重有加，并时常给她一些力所能及的帮助。

让批评拐道弯，主要是指，为了保护孩子的自尊心和积极性，尽量不直接指出孩子的错误、不足，而是借助于对孩子讲述相关的事情，让孩子自己从中悟出道理，明确自己究竟该怎么做。

对于个性好强、自尊心较强的孩子，婉转的批评常常会更有效。

下次不要这样了

——点到为止，给孩子留足面子

孩子如果知道自己做错了事，原本就会觉得愧疚，父母没完没了的批评只会让孩子反感。这不仅无助于孩子改正错误，反而可能激化亲子间的矛盾，甚至使孩子错上加错。

在我上初中的时候，同学小勇与他的妈妈发生的一次矛盾让我至今不能忘记。

当时，我正在院门外玩，那件事情我从头至尾都看在了眼里。

　　那一次，小勇喂猪的时候，不小心把猪食桶碰倒了，大半桶猪食全流到了猪圈前的小路上。

　　小勇妈妈闻讯赶来，发现自己辛苦和好的猪食全洒了，立即火冒三丈，冲着儿子就大骂起来。"你是猪啊？干什么吃的？这么多猪食全浪费了，你不心疼啊？你真没用！"

　　"我又不是故意的。"小勇辩解说。

　　"不是故意的也不行。你知道现在猪饲料多贵啊，这得浪费我们多少钱啊！"小勇妈妈不依不饶。

　　正在院门外闲聊的几个邻居这时也在观看小勇和他妈妈的"好戏"，让小勇很尴尬。

　　"你说我养你有什么用？连个猪都喂不了，养个猪还能卖钱呢……"小勇妈妈许久都没有住口。

　　"你还有完没完了？闭上你的臭嘴行不行？"小勇也朝妈妈吼起来。他非常恼火，当着邻居们的面被妈妈数落，觉得很没面子。

　　"怎么着，我还不能说你了？你洒了猪食还有理了？不说说你，你就不长记性。"小勇妈妈丝毫不顾及儿子的感受，依然揪住他的错不放。

　　"你自己喂你的猪吧，我不伺候了！"小勇狠狠地把还拿在手中的猪食勺子扔在地上，愤愤地走了。

　　"你、你……"小勇妈妈气急败坏，望着健步如飞离去的儿子却又无可奈何，在邻居们的注目下，小勇妈妈只得自己收拾"残局"。

　　因为妈妈对小勇没完没了的批评，而且还是在别人面前批评，这让小勇很受伤。

　　孩子如果知道自己做错了事，原本就会觉得愧疚，父母没完没了的批评只会让孩子反感。这不仅无助于孩子改正错误，反而可能激化亲子间的矛盾，甚至使孩子错上加错。这是父母们应该注意避免的。

与此相反，表哥对儿子永健的一次批评却恰到好处，并且取得了较好的效果。

一天，永健独自在家门前的胡同里踢足球，这是一条不足 3 米宽的胡同，胡同口的一头有几家面朝胡同的商店、小吃店等。

当时，胡同里没有车辆来往，也少有行人来往。永健不断地把球踢到胡同两边的墙上，利用墙对球的弹力将球弹回来，他接过反弹回来的球再次往墙上踢。

正当永健踢得正带劲的时候，足球飞向了一家小吃店的窗玻璃，只听"哗啦"一声响，玻璃顿时碎了。

碰巧的是，这一幕被正要出门办事的爸爸撞见了。他见儿子闯了祸，赶忙走上前来，悄声对儿子说："男子汉大丈夫，敢做敢当，你应该知道该怎么办。"

当时，小吃店的主人正在后院，听到响声，就来到了小吃店的前门。

小吃店主人看了看还在胡同里慢慢滚动的球，看了看碎了的玻璃，又看了看立在一边的父子俩，立即明白了是怎么回事。

没等小吃店主人说话，爸爸对永健使了个眼色，并向小吃店主人的方向推了儿子一把。

永健已经是个近 15 岁的小伙子，他马上明白了爸爸的意思。

这时，永健走到小吃店主人跟前，向他鞠了一躬，对他说："大叔，非常对不起，我刚才踢球时不小心把你的窗玻璃给踢碎了。这样吧，我赔你的玻璃钱，或者我给你白干活，顶你的玻璃钱也行。"

小吃店主人见永健这样真诚，就笑着说："赔钱就算了吧。你有机会多来吃几次饭就可以了，或者介绍你的朋友来吃饭也行。"

见小吃店主人这么宽容，爸爸对儿子说："以后别在这里踢球了。"继而，他又指着永健对小吃店主人说："大哥有什么需要帮忙的，吩咐他去干就行。"

永健没想到这件事这么容易就解决了，他讨好地对小吃店主人说："大叔，把我当您的伙计使唤吧，我有的是力气。"

孩子犯错时，父母最忌讳的就是对孩子没完没了的批评，抓住孩子的一点错误翻来覆去地数落、指责孩子。

父母批评孩子的目的是让孩子意识到自己的错误，更重要的是，父母要给孩子指出改正错误的方法，避免孩子继续犯此类的错误。

所以，对孩子的批评点到为止即可，如果孩子已经意识到自己的错误，父母就要帮助孩子找到改正错误的方法和途径。

我儿子没有优点

——别一棍子把孩子打死

父母这种只看到孩子的缺点而看不到其优点的做法，只会毁掉孩子的自信，浇灭孩子的热情，最终让孩子变得越来越糟。

我在一所小学给家长们做完家庭教育讲座后，一位妈妈找到我，焦急地对我说："成老师，我的儿子都上四年级了，可他没一处让我满意的。在家不听话，在学校不守纪律，跟我顶嘴，懒惰，自私，不爱学习，不爱劳动，什么事情都做不好，还经常闯祸，我都快急死了。你给我支个招吧，我该怎么办？"

"这么说，你的孩子就是一个一无是处、没有用的孩子？"

"可以这么说，我怎么摊上个这么没用的孩子，我上辈子做了什么孽啊？"妈妈深深地叹口气。

我看着这位妈妈，心想：这个在妈妈眼里"一无是处"的男孩生活得一定不快乐。试想，一个得不到父母认可的孩子该觉得自己是多么无用、多么没有价值。

沉默了一会儿，我对这位妈妈说："我很愿意帮助你。在帮助你之前，我想请你找出孩子身上存在的 5 个优点。"

听我这样说，妈妈撇了撇嘴，无奈地对我说："我儿子没有优点，要是他有优点，我就不会来找你了。"

我疑惑地对她说："不可能吧？我做教育这么多年，还从来没有见过没有优点的孩子。你要是找不到你孩子的优点，我就真的没法帮你了。"

"那我的孩子就没有希望了？"妈妈眼里流露出了绝望的神情。

"你的孩子有希望，但是，你不给他希望。"我面无表情地对这位妈妈说。

"哦？怎么这么说呢？"

"因为你看不到他的优点，你眼里只有他的缺点，这就把孩子一棍子打死了。父母一棍子把孩子打死，孩子就会放弃努力，破罐子破摔，也就真的没有希望了。"

"哦。不过你让我找孩子的优点，真的是太难了。"

"你的孩子一定有优点，你要不断找到孩子的优点，并表扬他、认可他，这样孩子才会越来越好。"

"哦，那我就试试吧。"虽然这位妈妈对我的建议还有些疑惑，但她表示要试一试。

生活中有很多这样的父母，因为对孩子寄予很高的期望，因而对孩子表现出来的缺点和不足深恶痛绝，甚至产生"恨铁不成钢"的愤怒。

在愤怒情绪的支配下，父母就容易看不到孩子的优点，满眼里只有孩子的缺点和不足，将孩子一棍子打死。

父母这种只看到孩子的缺点而看不到其优点的做法，只会毁掉孩子的自信，浇灭孩子的热情，最终让孩子变得越来越糟。

桐桐3岁多时，我建议她自己洗袜子。而她第一次自己洗袜子时，看上去有了"当家做主"的主人翁的自豪感，自始至终都不让我和妻子插手。

我和妻子只得坐在沙发上看电视。

过了好久，桐桐拿着洗好的袜子从洗手间里出来了。

此时，我们发现，桐桐满身满脸都是水，头发湿了，上衣湿了，连小裤子和小鞋子也都湿漉漉的。

妻子看见后皱了皱眉头，起身走向桐桐，我也好奇地上前看个究竟。

桐桐的脸上却洋溢着骄傲的笑容，仿佛自己完成了一个重大任务。

"你瞧你，洗的是什么啊？袜子上还有溅上的泥点和没洗掉的洗衣粉呢。再瞧瞧你，活脱脱一个水鸭子。"妻子数落着桐桐。

"你再看看洗手间里，怎么洒得到处都是水啊？洗衣粉怎么掉地上这么多？肥皂扔在地上也不知道捡起来。"

听妻子这样说，我朝洗手间一看，果然满地狼藉。

"你这孩子，洗一次袜子，没一处让我满意的，没一个地方做好的，我还得给你收拾残局。说你干不了吧，你还不服气，唉！"

我发现，随着妻子一句句的数落，桐桐的脸马上由晴转阴，刚才还神采飞扬的神态此时消失了。

为了防止妻子的数落破坏桐桐做事的积极性，我赶忙制止了妻子，并走到桐桐跟前，高兴地对她说："谁说桐桐做得不好？她能自己洗袜子就很了不起。桐桐真的很能干，能自己洗袜子了，很多小朋友还什么都不会做呢。"

听了我的话，桐桐脸上才勉强露出一点儿笑意。

一位伤心欲绝的妈妈曾给我打电话，向我哭诉："我女儿上初二，可她恋爱了，而且还因为谈恋爱逃学次数很多，受到了学校的警告处分。

"我女儿这辈子完了，我这辈子也完了。孩子有这样一段不光彩的历史，我该怎么活啊？我恨透了女儿，她真给我丢脸，我现在怎么看她都不顺眼，真恨不得把她打死算了。"

"您是不是觉得孩子犯了这样一个错误就无可救药，就没有任何希望了？"我问这位妈妈。

"在老师的教育下，女儿很后悔自己的行为，表示一定要改正，但我就是不能容忍。我真不知道自己该怎么办。"妈妈无奈地说。

"每个人一生中都可能会犯很多错误，你也不能保证自己这一生没有犯过错误吧？孩子犯错误更常见，如果我们因为孩子犯了错就把孩子判了死刑，相信几乎没有一个孩子的人生是有希望的……"

我耐心地给这位妈妈讲道理，试图让她接受女儿犯错误这个现实。经过近一个小时的交谈，这位妈妈表示要振作起来，帮助女儿走出低谷。

有些父母对待孩子，容易犯过度追求完美的错误，不能容忍孩子犯错误，孩子犯了一点儿小错误，父母就痛心疾首，将孩子一棍子打死。

这是非常不可取的。孩子正在成长中，犯错是难免的。从某种意义上说，犯错误更能促使孩子更快、更好地成长。

因此，父母绝不要因为孩子的一个错误，将孩子一棍子打死，而是要帮助孩子在错误中更快地走向成熟。

把话说到孩子心窝里

第五章

开口闭口都是为了爱

你好、谢谢、对不起

——文明用语父母先行

父母犯错后，放下架子对孩子说出"对不起"三个字，这对孩子会有神奇的影响。这不仅仅是一种文明语言的运用，也代表着父母姿态的降低。

有一天，妻子下班回到家，换了拖鞋后到卧室去拿东西。等她出来后，发现客厅的地板上洒了一地的瓜子，桐桐正提着盛瓜子的袋子不知所措地站在旁边。

妻子见桐桐弄得地上一片狼藉，就开始嚷："我说你搞什么啊？你看看这弄得乱七八糟的，你这孩子，净捣乱！"

桐桐遭到批评，撅起了嘴巴，很不高兴地看着妈妈。

"你看什么呢？还不快收起来。"妻子吩咐桐桐，说着，她也蹲下身，开始用双手将地上的瓜子捧回塑料袋里。

好大一会儿，母女俩才收拾完洒落的瓜子。妻子疲惫地坐在了沙发上，桐桐则还有些难过地站在一边，似乎有什么委屈。

我关切地问女儿："怎么了，宝贝？"

"我给妈妈拿瓜子，妈妈还吼我。"停顿了好一会儿，桐桐才委屈地说。

我们这才明白过来，原来桐桐是想把瓜子从茶几下面给妈妈拿出来，结果不小心将瓜子弄洒了。

前两天，妻子买了一袋瓜子，每天下班回来会先嗑着瓜子看一会儿电视，然后再去做饭，桐桐也摸清了这个规律。

知道了是怎么回事，妻子连忙将桐桐抱在怀里，很认真地对她说："宝贝，对不起，妈妈错了，妈妈不该责备你，妈妈应该感谢你才对。"

听到妈妈的话，桐桐又甜甜地笑了，急忙对妈妈说："没关系。妈妈吃瓜子。"她抓了一把瓜子递给妈妈，然后打开了电视机。

对于很多父母来说，向孩子说"对不起"是很难的。很多父母总放不下架子跟孩子说"对不起"。

事实上，父母犯错后，放下架子对孩子说出"对不起"三个字，这对孩子会有神奇的影响。这不仅仅是一种文明语言的运用，也代表着父母姿态的降低。

首先，这会让孩子觉得自己与父母是平等的，拉近父母与孩子间的距离；其次，这可以告诉孩子：没有人是完美的，犯错并不可怕，只要改正就好；同时，这还可以培养孩子勇于认错、勇于改正错误的态度。

桐桐两三岁时对语言非常敏感，她很喜欢模仿我和妻子说话，喜欢对我们所说的话进行纠错，且对这样的事情不厌其烦。

有一天，桐桐独自在看动画片，我和妻子坐在旁边说着话。

当时，我正跟妻子谈一件我与别人合作的事情。我不停地抱怨着对方不诚实，因为他答应的条件没有兑现，这让我很恼火。

妻子也不时地附和我，不停地指责那个人。

就在这时，桐桐插话了："爸爸妈妈说话不文明。"

我和妻子一惊，转头看向桐桐，我问她："我和妈妈怎么说话不文明了？"

桐桐说："你们就是说话不文明，爸爸骂别人是'蠢货'，妈妈也骂人家是'蠢货'，这是骂人的话，那个人听了会不高兴的。"

我和妻子面面相觑，没想到孩子成了我们的老师，我连忙对桐桐说："桐桐说的对，我们说错话了，我们改正，以后不说骂人的话了。"

为了巩固桐桐的"战果",为了保护这棵刚刚意识到语言美的幼苗,我笑着跟她提出:"桐桐,你来惩罚爸爸妈妈一下,我们说错了话,你刮我们一下鼻子吧!"

桐桐很开心地分别刮了我和妻子一下鼻子。

自此,我和妻子说话的时候,如果桐桐在身边,我们就会非常注意自己的用词,以免给孩子带来不良影响。

桐桐4岁的时候,有一天,妻子的同事小王带着她的儿子笑笑来我们家里玩。

笑笑比桐桐小半岁,是个内向乖巧的小男孩,不像其他男孩那样调皮。

那几天,我刚给桐桐买了一个新玩具——能够打滚的电动小猴。笑笑一来到我们家,就看到了这只放在沙发上的小猴,他指了指小猴,看着妈妈。

妻子看出笑笑想玩那个小猴,就走过去拿起来递给了他。正在卧室里玩的桐桐听到来了客人,就出来了。

当桐桐发现笑笑正在玩自己的小猴时有些不高兴,她伸出手打妈妈,妻子不解其意,问桐桐:"这孩子,你干吗打我呀?"

桐桐指了指笑笑手里的小猴,摆出一副要跟妈妈耍赖的姿态,对着妈妈拳打脚踢,嘴里还嘟囔着。

过了一会儿,妻子突然明白了桐桐的意思,就蹲下来问桐桐:"妈妈把你的小猴给笑笑玩,你是不是生气了?"

桐桐不说话,只是看着笑笑手中的小猴。

"对不起,妈妈没有经过你的同意,就把小猴给笑笑玩了。桐桐是个有礼貌的好孩子，懂得把玩具让给弟弟玩，你看，笑笑很感谢你呢，妈妈也感谢你把玩具让给弟弟玩。桐桐真是妈妈喜欢的好女儿。"

妻子一边说，一边亲了亲桐桐。

桐桐经过妈妈美言和亲昵动作的"贿赂"，不再因为笑笑玩自己的玩具而生气，反而大方地对笑笑说："你玩小猴吧，我不玩了。"

父母在与孩子的交流互动中，使用文明语言不仅仅能让孩子体会到语言形式美，更重要的是它体现着一种平等、尊重和接纳的良好亲子关系，这就为家庭教育创造了很好的氛围。

当然，父母不管使用什么文明语言，态度都要真诚，不能言不由衷或者阳奉阴违。同时，父母要养成使用文明语言与人交流的习惯，孩子就会在耳濡目染的影响下也养成使用文明用语的习惯。

秘笈43 我看你能闹到什么时候
——沉默是金

在孩子哭闹时，父母可以保持沉默，进行冷处理，坚决不满足孩子的无理要求，次数多了，孩子就知道这些要求是无法满足的。

在桐桐不到两岁的时候，有一次，我的表弟到家里来做客。

表弟是个仪表堂堂的小伙子，他把长袖衬衫的下摆扎在了裤腰里面，裤腰带上挂着一串钥匙和瑞士军刀，还别着一个手机，样子很酷。

表弟一来，桐桐就发现了表弟裤腰带上挂着的军刀和手机，她好奇地要把军刀和手机摘下来玩。

我担心桐桐把表弟的手机弄坏、被军刀割伤，就断然拒绝了桐桐："不行，叔叔的这些东西不能玩。"

桐桐不干，非要玩不可。表弟左右为难，不知道该不该给桐桐玩。桐桐纠缠不休，表弟无奈把军刀和手机都摘下来递给了她。

桐桐玩了一会儿手机，觉得不好玩，就放下手机专心玩起了那套各种形状的军刀，表弟则在一旁小心翼翼地看着桐桐，以免她受伤。

因为担心桐桐受伤，我一边抓住她手里的那串军刀，一边对她说："这些刀很危险，咱们去玩拼图好不好？"

桐桐不听，非要玩刀不可。僵持了很久，桐桐仍不放弃，我只得采取强制措施，巧妙地将刀夺了过来，递给表弟："你放好了，别再让她玩这个。"

桐桐开始哭闹，坐在地上耍赖，表弟不知所措，不知怎么做才好。我对他说："别管她，你来帮我整理一下书橱吧！"

我不再说什么，和表弟去了书房，留下桐桐一个人在哭闹。

我们听到桐桐在大喊："我要玩刀，我要玩刀。"我示意表弟不要说话。

过了一会儿，桐桐大概是哭闹累了，客厅里没有了声音。我悄悄探头一看，只见她独自爬起来，用手弹了弹身上的土，打开电视机看电视去了。

孩子有时会给父母提出无理的要求，如果父母不能满足孩子这些要求，很多孩子就会以哭闹相要挟。

此时，是最考验父母的时候。见孩子哭闹，有些父母就容易心软，满足孩子的要求。但孩子由此就学会了以哭闹的方式要挟父母满足自己无理的要求，这等于间接地纵容了孩子的任性。

对于这个问题，其实有一个简单的方法，就是在孩子哭闹时，父母可以保持沉默，进行冷处理，坚决不满足孩子的无理要求，次数多了，孩子就知道这些要求是无法满足的。

在一次去幼儿园接桐桐时，我听一位父亲讲述了这样一件事：

儿子刚上幼儿园不久。有一天，儿子在幼儿园跟别人学了一句骂人的话"你是蠢猪"。这句话儿子从来没有听过的，他觉得很好玩。

孩子学会这句话后，回到家，就开心地跟爸爸妈妈学说这句"你是蠢猪"。

父亲很吃惊，他悄声对妻子说："儿子怎么学会了骂人？我们从来没有骂过人啊，他跟谁学的啊？"

母亲也很迷惑，摇了摇头说："不知道。"

过了一会儿，母亲突然说："一定是在幼儿园里跟其他孩子或者老师学的。"

父亲也点头："有可能。"想了一会儿，他对爱人说："儿子再说这句话时，我们都少说话，最好别理他，也不能有任何表情。"

于是，当孩子又说起这句话时，夫妻俩马上转移了自己的视线，什么话都不说，没有任何表情地走开了，去忙自己的事情。

事后，父亲告诉儿子说："你刚才说的话爸爸妈妈不喜欢听。"

这样多次之后，儿子觉得对爸爸妈妈说这句话不好玩，就不再说了。

同学的女儿姚姚与桐桐同岁，是一个乖巧懂事、有主见的女孩。

有一次，我去同学家做客，与他们夫妻俩聊了很久，聊着聊着到了饭点，他们就留下我吃晚饭。

姚姚本来吃饭习惯很好，吃饭很利落、不拖拉，但她有点儿"人来疯"，看我来了，吃饭的时候话就很多，不停地跟我说这说那，还不时用筷子敲打碗、盘，很兴奋。

这样，姚姚吃饭就拖了很长时间，我们都吃完饭很久了，她还在一边说一边吃，一边还敲打着碗筷。

姚姚妈妈也是一位很懂得家庭教育的妈妈，见女儿拖拖拉拉这么长时间吃不完饭，就开始收拾碗筷。姚姚说什么也不让妈妈收拾她的碗筷。

妈妈对女儿说："你已经吃了很长时间了，到时间了，妈妈应该收拾碗筷了。"

姚姚依然不从，一手抓勺子，一手抓筷子，并伸长胳膊抱着自己的饭碗。这时，她碗里的饭早已凉了。

妈妈仍坚持自己的原则，姚姚就用筷子打妈妈的手。妈妈没有屈服，她一言不发，温柔地夺过了女儿手中的碗筷，拿到厨房里去了。

过了一会儿，姚姚大概意识到了自己的错误，她跑到厨房去跟妈妈套近乎，但妈妈不理她，紧绷着脸，继续忙自己的。

妈妈洗完碗，又开始打扫餐厅，姚姚在旁边不停地跟妈妈说话，但妈妈始终一言不发。

最后，姚姚忍耐不住了，对妈妈说："妈妈，我错了，以后我再也不这样了。"

妈妈这才舒了一口气，冲女儿笑了一下。

孩子说错了话、做错了事，父母也可采用沉默的方式，对孩子的错误进行冷处理，此时，往往能起到"无声胜有声"的作用。

孩子都担心父母不理睬自己，父母的沉默会让孩子对自己的错误有负罪感，从而可以激发他改正错误。所以，在孩子犯错时，在他做了不该做的事情时，父母不妨用沉默来代替喋喋不休的说教，也许会有更好的效果。

床单想喝牛奶了

——说话时加点儿幽默的调料

> 孩子与父母发生矛盾冲突的时候，或者孩子做错事的时候，父母幽默的语言往往能够化解孩子的紧张、焦虑，让双方都能平静轻松地应对当前的问题。

我认识一位妈妈，她是一位好心态、好脾气的女士。因此，她与儿子的关系、与丈夫的关系以及与公婆的关系都很融洽。

这位妈妈曾跟我讲过一件她教育儿子的事情：

有一天，4 岁的儿子在喝牛奶，他一边喝着牛奶一边走向父母的床边。

父母床上的床单是一些奶牛的图案。这个男孩知道牛奶是从奶牛身上挤出来的，那次他的小脑瓜里也许在想："奶牛会不会喝牛奶？"

于是，男孩趁父母不在房间的时候试验了一下，将还没喝完的牛奶一点点倒在了床单上的一只奶牛的嘴边。

当然，床单上出现了一大片湿漉漉的印迹，男孩很好奇地看着这一切。

正在男孩观察自己的"杰作"时，妈妈走了进来，发现床单被儿子倒上了牛奶。

当时，妈妈虽然有些生气，但没有发作。她沉默了一会儿，对儿子说："奶牛是不是想喝牛奶了？"

儿子笑了，没有说话，转头看着床单湿漉漉的地方。

"这上面的奶牛是假的，它不能喝牛奶，你看牛奶都让床单喝了。床单喝了牛奶,爸爸妈妈就没法在上面睡觉了,妈妈还要辛苦去洗床单。所以,宝贝,不要再让床单喝牛奶好不好?"

儿子点了点头,抓起床单的一角要和妈妈一起去洗。

幽默具有调节气氛、调节人的心情的作用。父母幽默的语言,加上温和的态度,有助于与孩子建立融洽的亲子关系。

尤其是孩子与父母发生矛盾冲突的时候,或者孩子做错事的时候,父母幽默的语言往往能够化解孩子的紧张、焦虑,让双方都能平静轻松地应对当前的问题。

所以,在与孩子交流的时候,父母不妨在语言中加一些幽默的调料。

同行老赵有一个可以与他"称兄道弟"的儿子。他的儿子迪迪马上就要面临中考了。

老赵是个颇有成就的作家,迪迪也不逊色,是班里的"才子",学习成绩也不错。

迪迪很好强,他给自己定的目标是考取市里排行第一名的重点高中。

可就在中考前一个月,老赵发现了儿子的"情绪波动":这个已经经历几十上百次考试、"身经百战"的儿子,此时有些害怕了,他担心达不到自己的目标。

老赵觉得,帮助儿子顺利度过中考这一关是他这个做父亲的义不容辞的责任。

一天晚上,老赵搂着儿子的肩膀,对他说:"儿子,是不是遇到什么烦恼了?说出来,说不定老爸能帮你搞定。"

老赵父子一直交流比较融洽,这一次,听父亲这么一问,迪迪就爽快地说出了自己的心里话:"老爸,马上就要中考了,我怎么觉得很紧张呢?要是考不上重点高中怎么办?"

"哦,原来是这事啊!咱们爷俩还真是一家人,当初我考高中的时候也很

紧张呢！其实，中考不过是一只纸老虎，看似凶猛，但它是纸做的，没有抵抗力，一捅就破。

"即使你打不败这只纸老虎，又能怎么着？纸老虎是死的，它又不会吃你。你考不上重点，我和你妈也不会吃了你，别人也不会吃了你。别害怕，放松、放松，我儿子是英雄好汉，不会被纸老虎吓倒。"

迪迪被父亲幽默的语言逗笑了，他松了口气说："是啊，只有英雄好汉打老虎的份，哪有英雄好汉被老虎打的理啊？"

在这次父子谈话之后，迪迪对中考就没那么紧张了。

桐桐刚开始写数字"8"的时候，不知怎么回事，总是喜欢写成"∞"。妻子给她纠正过几次，但是桐桐不听，依然写成"∞"。

有一次，我发现桐桐又将数字"8"写成了符号"∞"，就问她："桐桐，你写的这是什么字啊？"

"我写的是8。"桐桐自豪地回答说。

"是8啊？不过这个8大白天怎么躺着睡觉呢？它真是个小懒猫。"我笑着说。

"它不是小懒猫。"桐桐急忙辩解说。

"不是小懒猫啊，那它为什么躺着呀？总这么躺着多不好啊！"我说。

桐桐没有说话，她看了看自己写下的数字"8"，又看了看我。

"这个8还是站起来更精神，你说是不是？"我拿过桐桐的笔，一边示范正确的写法，一边对她说。

桐桐看了一会儿我写在旁边的"8"，然后开始模仿我的写法。

"桐桐记住了，8是站着的，不是躺着的，躺着的是个小懒猫。"

桐桐又照着我写的那个数字8写了几遍，我马上说："哇，看桐桐写的这

155

些8多精神啊!"

桐桐冲着我不好意思地笑了。

真正的幽默不仅仅是一种语言技巧,更重要的是,它体现了一种积极乐观的心态。

所以,在家庭教育中,父母不要忘记培养自己积极的心态,要乐观地看待孩子成长中的每件事,让幽默的品质在积极乐观的心态中慢慢得到滋养。

这就要求父母要努力看到孩子成长、发展的美好前景,而不要仅仅看到孩子当前的问题,同时,要用幽默和积极的心态面对孩子当前的问题,给孩子不断进步、不断走向成功的机会。

冷静一下再说

——愤怒之时请闭嘴

人的语言会受自己情绪的左右,父母在愤怒的时候教导孩子,就可能说出不合时宜的话来,影响教育的效果。

一次,妻子从市场买来一些菜和几斤鸡蛋。桐桐正在看电视,见妈妈提着鸡蛋和菜进了家门,就热情地跑上前去迎接她。

桐桐要接过离她近一点儿的一袋鸡蛋,妻子怕她把鸡蛋给摔了,急忙说:"你拿不了鸡蛋,来,你拿这些菜。"

桐桐不干："我拿鸡蛋，我拿鸡蛋。"并伸着双手要抢过妻子手中的鸡蛋。

"不行，你拿不了，你会把鸡蛋打了的。"

妻子不撒手，桐桐也不撒手，两人就这样僵持着、争夺着。

这时桐桐4岁，正处于反抗期，她死活不听妈妈的话，妈妈越不让她拿鸡蛋，她就非拿不可。

在两人的争夺中，桐桐用力一夺，鸡蛋正巧碰在了她旁边的茶几一角，只听见"啪"地响了一声。

妻子生气了。"你别动，行不行？"她对桐桐嚷了一句。

桐桐还抓着袋子不放，袋子又晃悠了一下，又一次碰在了茶几的角上。

妻子探头看了看袋里的鸡蛋，发现破了几个，这下她愤怒了，对着桐桐吼起来："你这孩子怎么这么不听话？你逞什么能啊？你看看鸡蛋破了吧！蛋清蛋黄都流出来了，还怎么吃啊？浪费了多可惜啊！"

桐桐被妈妈的吼叫吓住了，她赶忙松开了手，手足无措地站在原地不敢动。

"一边去！别在这里添乱！你就不能让我省点儿心吗？"妻子的声音提高了八度，脸上的表情此时变得很难看。

桐桐像只受伤的小鸟，依然站在原地不敢动，眼睛惊恐地望着妈妈。

过了很久，妻子做好了饭，我们准备吃饭。我招呼桐桐吃饭时，她还是一副做错了事胆战心惊的样子，不敢靠近妈妈。

有时，孩子因不懂事、不知道某事的后果，结果做了错事，并造成了严重的后果。此时，很多父母可能都会怒不可遏，控制不住地要训斥甚至打骂孩子一番。

孩子制造了麻烦，父母愤怒是可以理解的，但如果父母在愤怒的时候高声地训斥孩子或对孩子实施教育，此时他们往往是不理智的，常常会导致教育失败。

　　有一段时间，妻子出差去外地学习一个多月，她回来后，桐桐就一直黏着她。

　　在妻子回家的第二天早上，她早早地起床，洗漱完毕，就开始帮助桐桐穿衣，她对桐桐说："桐桐快点儿起床，起床后妈妈送你去幼儿园，然后妈妈去上班，好不好？"

　　因为好久未和妈妈在一起，桐桐就不想去幼儿园了，她对妈妈撒娇说："我不去幼儿园，妈妈不去上班。"

　　"你怎么能不去幼儿园呢？快点儿穿衣服，妈妈得去上班。"听到妈妈的话，桐桐撅起了嘴巴，磨磨蹭蹭不肯穿衣服。

　　妻子拿裤子给桐桐穿，她就往后缩腿，给她穿上衣，她就使劲摆动胳膊躲避妈妈拿过来的上衣。

　　这样持续了很久，桐桐的衣服还没有穿好，妻子有些生气了，就强行给桐桐穿。而这个时候，桐桐更加强烈地反抗，并大声说："不去幼儿园。"

　　妻子着急上班，担心迟到，对桐桐的不配合很恼火，更加强硬地要给桐桐穿衣服。

　　可谁知，妻子越是如此，桐桐越是不配合。

　　也许是因为着急，妻子此时愤怒了，对着桐桐吼道："你这孩子，你气死我啊？你怎么不听话呢？"

　　桐桐被妈妈的表情吓哭了，我急忙走上前去，悄声对妻子说："我们特生气的时候对孩子说教是没有效的。你去忙别的吧，冷静一下，我来帮她穿衣服。"

　　妻子只得悻悻地离开，忙别的事情去了。

　　在桐桐面前，我是轻易不发脾气的人，但有时桐桐做出的事情也会让我非常愤怒。

　　桐桐3岁时的一天，我下班回到家，发现她正用彩笔在我的一本书上乱涂乱画，地上散乱地堆放着各种颜色的画笔。

那本书是著名教育家苏霍姆林斯基的专著，我非常珍视，看到桐桐将书页画得凌乱不堪，我非常生气。

见我回来，桐桐翻着画得乱七八糟的书页，抬起头笑着对我说："爸爸，我画的。"

我正要发作，准备训斥桐桐一顿，突然想到带着情绪对孩子说教会让她感觉不舒服，教育效果也会打折扣。于是，我在心里告诉自己：冷静，冷静。

平静了一下情绪，我走到桐桐身边，耐住性子对她说："你把爸爸的书画得乱七八糟，爸爸非常生气。我现在不想跟你说话。"

说完，我把桐桐手中的书夺过来，放在书架上，转身去了另一个房间。

人的语言会受自己情绪的左右，父母在愤怒的时候教导孩子，就可能说出不合时宜的话来，影响教育的效果。

父母绝不要带着愤怒的情绪对孩子进行说教，此时的说教常常只是对孩子发泄自己的不良情绪，会对孩子造成伤害。

愤怒的时候，父母最好闭上嘴巴，等自己的情绪平静了，再对孩子进行教育，这才是明智的做法。

你的拥抱让我好温暖

——让表情和动作为你的语言加分

> 把话说到孩子心里去，不仅仅要靠父母的语言技巧，表情和动作也从中传递了很多信息，它们对父母语言的效果起到了促进或阻碍的作用。

一位朋友跟我谈起女儿小彤的一件事：

小彤读小学的时候求知欲很强，学习很认真，学习成绩也不错。可是，她自从上了初中以后，似乎有了心事，变得不爱说话，学习成绩也略有下降。第一次期末考试，小彤只考了班级的第 12 名。

小彤妈妈在单位是业务骨干，爸爸也是公司的领导，两个人都非常优秀，他们当然也希望女儿品学兼优，成为同龄人中的佼佼者。

虽然妈妈对小彤寄予了很高的期望，但她不愿因为学习成绩而过多地责备女儿，也不想让她在学习上有过重的压力。

那一天，当小彤把成绩单交给妈妈的时候，妈妈看了后有些失望，她内心中还是希望女儿能在班里成绩数一数二。

但是，妈妈努力不在小彤面前流露出这种失望，她不给女儿施加压力。她没有责怪女儿，只是简单地对女儿说："这次考得还不错，继续努力吧！下次会考得更好。"

说完，妈妈就转身忙别的了。

但过了一会儿，小彤走过来安慰妈妈说："妈妈，你是不是很失望、很伤心啊？因为我这次考得不好。妈妈，你别难过，我下次一定会取得好成绩。"

妈妈很奇怪，心想女儿怎么看出了自己的失望和伤心？

"我没有失望、伤心啊!"妈妈故作轻松地笑着说。

而小彤说："妈妈，我觉得潜意识里你还是很希望我的学习成绩优异的。因为每次我取得好成绩，从你的表情能看出你很开心，而我考得不好的时候，你的表情就告诉我你不高兴。"

小彤的话让妈妈意识到，自己内心里的想法已经通过表情传递给了女儿，有时可能还对她造成了一定的影响。

想到这一点儿，妈妈以后再与小彤交谈的时候，都会非常注意自己的表情。

把话说到孩子心里去，不仅仅要靠父母的语言技巧，表情和动作也从中传递了很多信息，它们对父母语言的效果起到了促进或阻碍的作用。

比如，很多孩子会认为，当父母对自己没有好的表情或有疏远的动作时，就表明父母不喜欢、不爱自己了。因此，虽然在本书中我们一直在讨论与孩子说话的技巧，但是父母千万不要忽视表情和动作的作用。

这让我想起了曾经看过的一期《心理访谈》节目：

节目的主角是一对母女，女儿上初三，性格内向，不善言辞，但是很有主见。而妈妈则是一位很喜欢说话的人，但她也懂得如何与沉默寡言的女儿有效地交流。

初二下学期，女儿喜欢上了班里的一个男孩，两个人经常一起交流学习、生活等各种话题，周末也常常一起郊游。

但女孩刚上了初三不久，男孩就向女孩提出了分手，女孩很痛苦。有一段时间，她无心学习，寝食难安，妈妈也发现了女儿的变化。

而直到这时，妈妈才知道女儿恋爱了，然后又失恋了。

有一天，妈妈发现女儿心事沉重地去上学了，她不放心，于是就跟单位请了假，在女儿上午大课间的时候去看她。

同学们都去上课间操了，妈妈把女儿拉到了教学楼走廊的尽头，用胳膊轻轻地环住了女儿的肩，深情地看着女儿的眼睛，只温和地说了一句话："我知道你很难过，你想哭就哭，你想跟我倾诉就跟我倾诉。你要知道，妈妈永远站在你这一边。"

妈妈完全接纳自己的动作和表情，让话不多的女儿的心理防线完全解除了。很多天以来，她内心积聚的复杂情绪终于爆发了，她伏在妈妈的肩上痛快地大哭了一场。

哭了很久，女孩逐渐放松了，她最后对妈妈说："妈妈，谢谢你，我好多了。相信我，我能处理好这件事，我也会努力调整自己，尽快投入到中考复习中。"

妈妈信任地朝女儿点了点头，没再要求女儿说什么。

这之后没几天，女儿就又开始全身心地投入到学习中去了。

一位妈妈曾向我咨询，说自己 3 岁的儿子非常任性，他想要什么东西时，父母必须立刻给他才可以，否则他就会大哭大闹，父母怎么哄都不行。

因为孩子，妈妈变得很焦虑，时常会冲着哭闹的儿子大发脾气，不停地责骂他。但妈妈的责骂却让事情变得更糟，孩子会更加不可遏止地哭闹。

妈妈焦急地问我："我该怎么办啊？这孩子怎么这么难管教？"

我建议道："你试试非语言交流，看看行不行？"

"非语言交流？该怎么做呢？"妈妈不解地问我。

我说："孩子再这样闹的时候，你别说话、别发脾气，也不要哄他、不要骂他。你只管去做你自己的事情。等孩子闹够了，你再轻轻地抱抱他，什么话都不要说。"

"这样能行吗？孩子哭坏了怎么办？"

"没事的，孩子哭累了就不哭了。你这样做，就是在告诉他：你的行为是不对的，妈妈不想理你。孩子哭闹完之后抱抱他，是告诉他：妈妈仍然是爱你的，只是妈妈不喜欢你刚才的行为。"

妈妈有点儿疑惑地点了下头，说："我试试吧！"

"一定要坚持原则，不能因为孩子哭闹而心软。"我补充道。

• • • • ● ● • • • •

孩子正处于某种不良的情绪中或在情绪低谷时，往往难以听进父母的劝告，即使父母的话都是正确的、都是为了孩子好。

在这种情况下，再多的语言往往也难以达成有效的交流。而此时，有效的表情和动作却可能会给语言加分。

所以，父母不妨使用体现父母爱的表情和身体语言，通过信任、鼓励的眼神或拉手、拥抱等身体动作向孩子传达父母对他的关爱。

原来是这样

——用积极回应助推孩子表达

父母千万不要随便斥责孩子，而是要对孩子的话给予积极的回应，对孩子进行语言表达的引导，让孩子逐渐学会清楚、准确、连贯地表达。

有一次，我去幼儿园接桐桐，看到桐桐闷闷不乐地、耷拉着脑袋来到我身边。我很奇怪，问桐桐："宝贝，今天怎么不高兴了？发生什么事情了吗？"

桐桐不说话，低着头。

"你是不是有什么委屈啊？告诉爸爸好吗？"

听我这样一说，桐桐咧开嘴，流下了眼泪。

"今天老师不让我玩骑转马……"桐桐一边用右手揉着眼睛,一边抽泣着说。

"哦,你很想玩骑转马,是吗?"

桐桐点点头,接着说:"是的,我还没玩够呢!"

"哦,这样啊,你没有玩够,老师就不让你玩了,你一定很难过吧?"我试着抚慰桐桐的情绪。

桐桐又点点头,不再说话。

"那老师为什么不让你玩骑转马呢?"沉默了一会儿,我又问桐桐,力求弄清事情的原委。这时,我发现,桐桐的眼神游移不定,难怪是她做错了什么,老师为了惩罚她而不让她玩?"宝贝,告诉我为什么老师不让你玩骑转马。不管是因为什么,爸爸都会帮你的。"我鼓励桐桐说。

沉默了好一会儿,桐桐才低着头说:"因为到了上手工课的时间,不能再玩了。"

"哦,原来是这样啊!看来你非常喜欢骑转马,要不明天你再玩好不好?因为上手工课了,老师就没法陪你玩骑转马了。"

桐桐不好意思地点了点头。

年幼的孩子,口头表达能力还很欠缺,他会因某种原因,不能连贯、清楚、准确地表达自己的想法和感受。当孩子出现这种情况时,父母不要着急,因为这是孩子语言发展中的正常现象。

同时,父母还要注意此时千万不要随便斥责孩子,而是要对孩子的话给予积极的回应,对孩子进行语言表达的引导,让孩子逐渐学会清楚、准确、连贯地表达。

在桐桐还小的时候，我常带她去公园玩。有一次，在一片草地旁，我和一位带儿子来玩的父亲交谈了起来，两个陌生孩子不一会儿就玩到了一起。

我们正交谈着，桐桐快速跑到我身边，拉着我的手，把我拉到那个男孩蹲着的地方。我顺着桐桐手指的方向，看到了地上有只蚂蚁在向前爬。在它的后边，是一条一厘米左右宽、半厘米深、几尺长的小渠，像是哪个孩子挖出的水道。桐桐用手指向小渠的左边，然后又指向它的右边，对我说："蚂蚁在这边呢，爬到了这边。"

桐桐那时才 20 个月，说话还不是很有条理、很连贯，我得边听边猜才能明白她的意思。听了桐桐这句话，我琢磨了一会儿，才明白了她的意思。我指着小渠左边，问她："桐桐是说，蚂蚁原来在那边是吧？"

桐桐点了一下头，"嗯。"

"那它怎么在这边呢？"我又指了指小渠的右边问。

"哥哥拿了一根木棍。"桐桐四下看了看，拿起一根木棍，把它横跨在了小渠上。

"拿木棍干什么呢？"

"蚂蚁爬。"桐桐将一只手指从木棍的一段移动到另一端。

"哦，桐桐是说，哥哥把木棍放在这上面，做成一个桥，让蚂蚁爬过去，对吗？"

桐桐又点头。"蚂蚁爬过去。"她又演示了刚才的动作一遍。

"你是不是说，蚂蚁从这里爬到这里，然后就过了这条小渠了？"我也一边演示，一边问桐桐。

一只小蚂蚁顺着木棍，爬过小沟渠的动作会让孩子如此兴奋，我受了桐桐的感染，也快活起来，很认真地一边比画，一边慢慢地跟桐桐讲述着："蚂蚁原来在这边，哥哥找了个木棍，放在这上面，蚂蚁就从这边爬到了那边，是吗？"

桐桐高兴得不住地点头，然后学着我的样子，断断续续地说："蚂蚁在这边，哥哥找木棍，放到上面，蚂蚁就爬过去了。"说完，桐桐幸福地笑了。

• • • ● • •

前段时间，我在书房看了一会儿书后，来到了桐桐的房间门口。透过门玻璃，我发现桐桐似乎闷闷不乐，好像受了什么委屈。

桐桐正拿起毛绒小熊，狠狠地摔在了床上，嘴巴撅得很高。

我悄悄走进桐桐的房间，低声地问她："宝贝，你怎么了？不高兴啊？"

桐桐没有说话，又拿起小熊摔了一下。

"是小熊欺负你了？它要欺负你，你就狠狠地摔它。"

桐桐又摔了小熊两下，嘴角放松了，握住小熊不再摔了。

我趁机对着小熊说："小熊，你是怎么欺负桐桐姐姐的？不是告诉过你，不准欺负桐桐姐姐吗？"

桐桐被我的样子逗笑了。

"告诉爸爸，你刚才怎么了？"静默了一会儿，我又问桐桐，料想她一定遇到了什么事。

桐桐沉默地看着我。

"嗯？"我疑惑地看着桐桐。

"是……是妈妈。"许久，桐桐嗫嚅着说。

我转头看了看门，确定妻子还在卫生间洗衣服，然后转身又问桐桐："妈妈怎么你了？"

桐桐支支吾吾，似乎不敢说。

"没关系，你说出来，爸爸不会怪你的。"

"我把妈妈的手表弄坏了，她生气了，就吵我。"最后，桐桐小心翼翼地说。

"哦，是这样，那你给妈妈道歉了吗？"

"没有。"

"那为什么呢？是不想跟她道歉，还是觉得没有做错？"

桐桐又闭住嘴巴不说话了。

"你把你的想法告诉我，不管你做什么，说什么，爸爸都不会怪你。"

"妈妈刚才吵我好凶。"桐桐不满地说。

"哦，是这样，你觉得妈妈吵你很凶，你不高兴，所以不愿意跟妈妈道歉，对不对？"

桐桐点了点头。

"好的，爸爸知道了，我跟妈妈说。"我安慰桐桐道。

桐桐这才放松下来。

• • • ● ● ● • •

因为语言能力有限或者心理有障碍，孩子不能流畅地或者不敢表达自己的所思所想，父母要给予他一定的帮助，帮助他将内心的想法和感受说出来，否则这些话积压在孩子的内心，可能会对其造成某种心理伤害。

在帮助孩子表达内心的想法、感受时，父母要做的是：无条件地信任和爱孩子，用积极的态度，对孩子的语言、表情、动作、话语给予积极的回应，鼓励孩子表达真实的心声。

秘笈 48 你别说了

——用心倾听才会有好沟通

父母用心倾听孩子说话，这传达给孩子的信息是：你说的话都很重要，我很重视你的感受和意见，而孩子也会感觉到来自父母的尊重和信任，从而也会反过来尊重和信任父母。

前一段时间，一名中学生看过我的某本书后，给我打来电话诉苦："成老师，你说没有教不好的孩子，只有不会教的父母。可是，我的父母总认为我这个儿子不好管教，总认为他们的管教方法是对的。"

"哦，那你一定觉得很委屈。"我附和着说。

"当然委屈了。更要命的是，虽然我已经是个 15 岁的男子汉了，但在家里我根本没有发言权。无论我说什么，父母都不会听我的，只要求我听他们的。凭什么啊?"

"这样的父母很霸道。"

"是啊，他们真的很霸道。很多时候，我想跟他们说说我的想法和感受，可还没等我说完，他们就打断我说：'别说了。'我怎么这么倒霉，摊上这样的父母啊?"男孩提高了声调说。

"我理解你。你在家里一定会觉得没有价值感、没有尊严。"我耐住性子，温和地对电话那边的他说，希望能帮助他缓和一下消极的情绪。

"成老师，你说的对，我在家里就是感觉没有价值、没有尊严。有时候我就想，既然这样我干脆离家出走算了，离开他们，眼不见心不烦。"

"我觉得离家出走并不是解决问题的好办法，这只是男子汉逃避问题的软弱的表现。交流沟通和相互理解才是解决问题的根本。如果你信任我，我可以和你的父母交流一下。"

"你跟我的父母交流? 那太棒了。我找机会跟他们说一下这件事，你要好好教育教育他们。成老师，如果我的父母也能像你这样耐心地听我说话，那我就会非常满足了。"

放下电话，我陷入了沉思：有多少父母因为不懂得倾听孩子，而使得亲子关系伤痕累累啊!

在家庭教育中，把话说到孩子的心里去，不仅仅在于父母如何说，倾听也是非常重要的内容。

父母用心倾听孩子说话，这传达给孩子的信息是：你说的话都很重要，我很重视你的感受和意见，而孩子也会感觉到来自父母的尊重和信任，从而也会反过来尊重和信任父母。而且，父母懂得倾听孩子说话，并且听懂了孩子的话，才有可能将话真正说到孩子的心里去。

在倾听孩子说话这一方面，我曾经犯过一次错误。

在桐桐4岁左右的时候，有一次，我正躺在床上看刚刚买来的一本新书。

一会儿，刚从幼儿园回家的桐桐跑了过来，兴奋地对我说："爸爸，我跟你说件事。"

我被书的内容吸引住了，不想被其他事情所打搅，就头也不抬、不耐烦地对桐桐说："什么事啊？"

"今天在幼儿园，我得了一颗红星，还帮助老师发糖果呢！"桐桐兴高采烈地报告她的高兴事。

而我，说实话，我没有完全听清桐桐的话，我的注意力几乎都在书上呢！

"爸爸，你听我说吗！"桐桐见我只顾看书不看她，有些不高兴，开始摇晃我的胳膊。

"别闹，桐桐，爸爸在看书，你先去玩好不好？"我抬眼看着桐桐说。

"不，我要跟你说话。"桐桐一把扯过了我的书，扔到了床上。

"你这孩子！没看爸爸正忙着吗？"我捡起书，责怪桐桐道。

我这话一出口，桐桐的眼泪就出来了。

此时，我突然意识到，虽然我爱书，但孩子比书重要多了，我怎么能因此伤害了孩子呢？

于是，我赶忙跟桐桐道歉："对不起，爸爸错了，爸爸应该好好听你说，你一定有好消息告诉爸爸，是吧？来，爸爸不看书了，爸爸就好好听你说话。"

我把书扔到书桌上，坐起来，把桐桐抱到了我的怀里。

桐桐沉默了好一会儿，在我不断的安慰下，她才开始跟我讲当天在幼儿园里的事情。

了解了倾听的重要性，在以后与桐桐相处的时候，我就非常注意耐心而专注地倾听她说话。

一次，我正在厨房里炒菜，桐桐跑了进来，手中拿着一本我刚给她买的故事书。

"爸爸，我给你讲讲这个故事吧！这个故事好玩极了。"

"哦，有好玩的故事啊！桐桐，你等两分钟好不好？两分钟后爸爸就炒完了菜，再好好听你讲好玩的故事好吗？"我转过头看着桐桐说。

"好。"桐桐很爽快地答应了，并站在旁边等我炒菜。

一会儿，我炒完菜，关了炉火，在围裙上擦了擦还湿漉漉的双手，对桐桐说："好了，爸爸现在听桐桐讲这个好玩的故事。"

桐桐开始讲起来，我则微笑着看着桐桐，认真地听她讲故事。

"……小马发现门打不开了，咦，这是怎么回事呢？"桐桐讲故事的神情很逗人，她停顿了一会儿，皱着眉头做思考状，转而又看看我，像是在问我。

"哦？到底是怎么回事呢？我也很想知道。"我说。

"原来啊，是小牛在恶作剧，它在外面把门给锁了。"桐桐说完，哈哈大笑起来。

"哦，原来是这样啊，这个小牛可真调皮啊！"我也嗔怪似的说。

一会儿，桐桐讲完了故事，高高兴兴地离开了厨房，我则继续收拾厨房。

父母认真倾听孩子说话，才能打通双方顺畅沟通的通道。所以，父母要特别注意，在孩子说话的时候，要认真地、耐心地、专注地听孩子说，听孩子把话说完，并要认真领会孩子说的话。

在听孩子说话时，父母要放下自己手中的事情，眼睛看着孩子，并做出对孩子的话很感兴趣的样子，且不要轻易打断孩子的话。

你气死我了

——静思3分钟再开口

这个时候，父母对孩子的说教常常会受自己情绪的左右，而缺乏理性的分析和判断，因而难以客观。

一天，妻子把桐桐从幼儿园接回家，她休息了一会儿，就去做晚饭。桐桐一个人在房间里玩，我则一直在书房里写作。

过了一会儿，我觉得腰酸背痛，就站起身，走到桐桐那个房间去，想要活动一下。

这时，我发现，一会儿的工夫，桐桐已把房间的地板弄得一片狼藉：桐桐身边的地上是没喝完的牛奶瓶，地上有几滴牛奶汁，一盒保健品的瓶盖被打开，维生素片被扔得到处都是，桐桐的外套、小人书、娃娃、皮球等物品都被散乱地摆放在地上。

见此情景，我忙问桐桐："桐桐，这是你干的吗？"

还没等桐桐回答，就在这时，妻子做好了饭走过来。那一刻，也许是忙了一天有些疲惫，当妻子发现被桐桐搞得乱七八糟的房间后，立即火冒三丈，生气地对她嚷："你这孩子，你看你弄得这个乱，气死我了。你看看，这维生素片怎么扔到地上了，这还怎么吃呀？还有衣服，怎么能扔到地上呢？脏不脏啊？"

桐桐冷不防被妈妈一顿数落，大概是被妈妈气急败坏的表情吓住了，她有些不知所措，坐在那里，停止了手中的动作。

我赶忙制止了妻子，小声对她说："冷静一点儿！你去忙别的，我来处理这事。"

妻子悻悻地走开了，我则蹲下来安慰还有些慌张的桐桐，然后和她一起收拾杂乱的房间。

● ● ● ● ● ●

像很多父母一样，妻子既要忙于繁重、琐碎的工作，还要做忙不完的家务和照顾孩子，有时候她会觉得压力很大，也会积累很多不良情绪，所以难免会因为桐桐做错事而发火，并在气头上对女儿进行说教。其实妻子也知道这样做不好，事后她会后悔自己的做法。

也许是因为家务事、工作问题和孩子的事情，使妻子的压力很大，有时，她就这样容易因为桐桐做错事而发火，并在气头上对女儿进行说教。

后来妻子开始检讨自己，她决定以后再发现女儿做错了事，不要马上对她进行教育，并要求我监督。

我和妻子商量，在发现桐桐做错事后，如果自己心情不好，就静思3分钟再开口教育孩子，妻子同意了这个提议。

一次，妻子买来一双漂亮的高跟鞋，她把鞋放在鞋架上就去忙别的事情了。

桐桐发现了妈妈的高跟鞋，很好奇，就穿上它在房间里不停地走来走去。

因为桐桐刚才光着脚丫在地板上跑来跑去，不知在哪里踩了一些水，结果脚底满是泥水。当她穿上妻子的高跟鞋后，鞋面和鞋里都有了泥印。

妻子忙完了事情，发现自己的新皮鞋被桐桐弄得脏兮兮的，非常生气。

我发现了妻子的表情变化，立即走上前，提醒她："息怒，3分钟，3分钟。"

妻子明白我的意思，深呼了一口气，眼睛看向别处。

过了一会儿，妻子走到桐桐身边，严肃地对她说："桐桐，你把妈妈的新皮鞋弄脏了，妈妈很难过。你能把它脱下来放在鞋架上吗？"

桐桐低头看了看脏了的皮鞋，不好意思地笑了笑，把它脱了下来。

很多父母在教育孩子时，常常带有自己的情绪，一旦发现孩子做的事不符合自己的意愿或标准，就容易生气发火，而且会马上对孩子进行说教。

这个时候，父母对孩子的说教常常会受自己情绪的左右，而缺乏理性的分析和判断，因而难以客观。

因此，在这种情况下，父母如果有了情绪，就要避免马上对孩子进行说教，可以先静思3分钟。

桐桐上幼儿园时，一个礼拜六，妻子早早地就去了单位加班，我、桐桐和奶奶在吃早餐。

那一天，也许是不太饿，桐桐吃饭很不专心，她边吃边玩，一会儿玩玩娃娃，一会儿动动电动小猴，一会儿跑到厨房里转一圈，一会儿又摆弄一下电视机。

我有些生气，因为吃完饭我马上要带桐桐去上绘画特长班。

奶奶怕孙女饿着，就不停地追赶着桐桐喂饭，而桐桐则不配合奶奶，只顾玩自己的。

我对桐桐的表现有些恼火，但我知道不能带着情绪教训她。于是，我在心里不断告诫自己："忍耐，忍耐3分钟。"

173

过了一会儿，我感觉自己情绪平静了一些，就对桐桐说："桐桐，你得好好吃饭，一会儿我们还要去上绘画班。如果你到8点钟还吃不完饭，就不能吃了，我们必须去上课。在上完绘画课之前你就不能再吃东西。"

听了我的话，桐桐想了想，乖乖地吃了几口饭。

如果发现孩子的表现不尽如人意，父母若心中有火，就不要马上开口教育孩子，这时可以静思3分钟再开口。

在这3分钟内，父母可做几次深呼吸，平静一下自己的情绪，或者做些其他事情转移自己的注意力，让情绪在做事中得到释放，进而使自己能冷静地思考孩子的问题。然后，父母再对孩子之前的不良表现进行教育。

秘笈50 这事没商量

——拒绝时，不拖泥带水

父母不能坚持到底的拒绝是很无力的，不利于孩子认清行为的规则，不利于孩子人格的健康成长。

妻子的一位同事有个8岁的儿子，名叫鹏鹏。

在暑假的一天，妈妈担心鹏鹏一个人在家不安全，就把他带到单位去了。

鹏鹏在妈妈的办公室玩了一会儿，觉得无聊，妈妈就又把他带到活动室去玩。

　　可是不一会儿，鹏鹏又来找妈妈，说在活动室里没意思，开始缠着妈妈，要去公园玩。

　　妈妈正在上班，当然不能带儿子去公园。于是，她对儿子说："妈妈在上班，不能带你去公园玩。"

　　"我就要去公园玩。"儿子坚持说。

　　"不行，妈妈在上班，不能离开办公室。"

　　"我就要去公园，我就要去，你必须带我去。"鹏鹏大喊大叫，似乎要用大声的吼叫让妈妈屈服。

　　其他同事都被鹏鹏的喊叫打扰了，都皱起眉头，妈妈赶紧把儿子拉出办公室。

　　"星期天带你去好不好？"妈妈开始跟儿子商量。

　　"不行。要不我自己去。"鹏鹏说。

　　"你自己去哪能行啊？"

　　"那你就带我去。"

　　"可是我要上班啊！"妈妈无奈地说。

　　"是啊，鹏鹏，你妈妈要上班，要不你到我们办公室去看故事书。"妻子拿着一本故事书走出来，帮助妈妈劝慰鹏鹏。

　　"不看，我要去公园。"鹏鹏不松口。

　　妈妈心疼儿子，但又觉得为这样的小事不上班不好。

　　"妈妈不上班怎么给你挣钱呢？"

　　"一天不上班又少不了多少钱，以后再挣回来不就得了。"鹏鹏一副很洒脱的样子。

　　"你忍一忍吧！咱别去公园了，明天你就去奶奶家了，到时候奶奶那里有很多好玩的事情呢。"

　　"不行，我就要去公园，要不我还是自己去吧！"说完，鹏鹏就转身要走。

　　妈妈慌了，见儿子如此坚决，她想了一会儿，对鹏鹏说："你等一会儿，妈妈去请个假，然后带你去公园。"

　　"你刚才这么说不就得了。"鹏鹏松了一口气，看着妈妈走进了领导的办公室。

这是很多父母常犯的毛病，在孩子提出不合理要求时，不懂得坚定地拒绝。

当孩子提出要求，父母不答应时，孩子最初会通过苦苦哀求甚至哭闹等方式坚持自己的要求。这个时候，父母尤其是做妈妈的，心就开始动摇，怕拒绝孩子会伤害他。当孩子再开始不断地要求或哭闹，父母的心就更软了，立场就慢慢转变了。

很多父母最终都会放弃原则，满足孩子的需求。

父母不能坚持到底的拒绝是很无力的，不利于孩子认清行为的规则，不利于孩子人格的健康成长。

对于拒绝孩子不去做某事，幼儿教育专家李跃儿的做法给我留下了非常深刻的印象：

在李跃儿幼儿园的一次下午加餐时间，一个叫皓皓的男孩想要攀爬餐厅对面的楼梯。

这架楼梯又高又陡，为了防止小朋友攀爬发生危险，幼儿园老师把楼梯口用一道栅栏门锁起来了。

但这一天，喜欢运动、浑身充满活力的皓皓发现了一个秘密：从楼梯的侧面也可以爬上去。

于是，皓皓跃跃欲试，要从楼梯上往上爬。

发现了皓皓的举动，李跃儿老师忙赶过来，一把拉住了他，对他说："不能上，不可以上上面去。"

老师的阻止使皓皓的动作有了片刻的停顿，老师问他："还想上吗？"

"还想上。"皓皓说。

"不行，谁都不能上！老师不允许小朋友上这上面去，请你离开。"老师对皓皓说。

但皓皓非要上不可，始终不放弃努力，继续往上爬。

而老师也坚定地坚持着，她扶着皓皓的腰，嘴里说着："不可以，还是不能上，不可以上。"

皓皓使劲摇晃着身体，但却不能摆脱老师的大手，他就放声大哭起来。

老师说："你很伤心是吧？很生气是吧？老师知道你非常伤心、生气，但是不可以上，绝对不可以上，很危险。"

皓皓付出了很多努力，尝试着往上爬，但都没有达到自己的目的。

在整个过程中，老师的语气始终平静而坚定："不行，还是不能上，不可以上。这个地方谁也不能上，所有的小朋友都不能上那上面去。"

就这样，老师和皓皓僵持了半个小时。最终，皓皓意识到那个楼梯确实不可以上，终于不再反抗，跟着老师去吃饭了。

记得一年冬天，我们回老家，表哥表嫂也带着永健回了老家。老家门前有一条小河，那时结冰了。

一天，有几个十一二岁的孩子在小河靠岸边的冰上行走，永健看见后也想上去试试。

虽然永健年龄跟那些孩子差不多大，但块头却比他们大。河岸边的冰虽然看起来很厚，但也不太安全。

所以，当永健想要去冰上走的时候，表哥立即喝住了他："不行，你不能到冰上去。"

"我就去玩一会儿。"

"一会儿也不行。"表哥态度很坚决。

"为什么不行啊？"

"冰上危险。"

"他们怎么能玩啊？"

"他们是他们，你是你。你绝对不能去。"

"为什么啊？"

"你看那冰，看起来厚，但是不牢靠。这事不能商量，不能去就是不能去。"

"你答应我去玩一会儿吧，我会小心的。"

"你无论说什么我都不能答应你，答应你就是害了你。"表哥始终不松口。

"我不去了还不行吗？"永健不高兴地嘟囔着，叹了口气，走回了家。

孩子坚决不能做的事情，比如对孩子的身心安全有害的事情、有违原则的事情等，父母拒绝时就要坚持到底，不拖泥带水，不能有丝毫妥协。

在这个过程中，父母要坚持原则，不能心软。否则，就容易给孩子模棱两可的规则，不利于孩子良好行为习惯的养成。

拒绝时的坚决要从语言、表情和动作中体现出来，如果这些方面有一丝松动，孩子就可能会及时捕捉到，会继续跟父母软磨硬泡，尤其是年龄小一些的孩子更是如此。

秘笈 51 你帮妈妈一下好不好

——用请求和商量代替命令

在要求孩子做某事时，请求和商量比缺乏平等意识的命令更有效。因为请求和商量是在表达"父母尊重孩子的意愿和意见"，而不是把父母的意愿强加给孩子。

我清楚地记得在我小时候一天里发生的两件事：

一个星期天，我在家看电视，父亲见我闲着，就面无表情地、大声地对我说："你过来把院子扫干净！"

父亲的口气不容商量，强硬而果决。我有些不快，觉得自己的愿望被

"强制"了。因为，要是我自己看见院子脏了，有时候也会主动去打扫的，而不是等待父亲的"命令"。

我嘴里答应着，心里却一百个不情愿，心想："你等着吧。"

父亲去忙自己的事情了，我依旧看电视。

一会儿，父亲又回到了堂屋，发现我还没动，厉声说："你怎么还在看？去把院子扫干净！"他的声音严厉了许多，让已经是小伙子的我也感到有些惧怕。

此时，我对父亲心生怨恨，但又不敢违抗"父命"，只得"阳奉阴违"地把院子胡乱划拉了几下，便草草收工。

很多父母也许会觉得，自己是家里的"一家之长"，孩子理应听自己的吩咐。但父母这样命令孩子，只会让孩子感觉到父母高高在上的威压，感觉到自己与父母不在同一个高度的不平等，也感觉到父母对自己个性和尊严的不尊重，对自己自主性的不信任。

自然，这些都让已经进入青春期、已经感觉自己是个"大人"的我非常反感，带着这种反感的情绪，我非常不愿意听从父亲的吩咐。

而那一天，我母亲的做法却给了我不一样的感觉。

我"扫"完了院，就气呼呼地继续回屋看电视，心里还带着对父亲的怨恨。不一会儿，母亲进门来。她见我似乎有些不高兴，就关心地问我："怎么了？"

我没有答话。

"是不是刚才你爸让你扫院子，你不高兴？刚才你们的话我都听见了。"母亲说，"他就这口气，你也别不高兴。"

我知道，母亲很多时候也很烦父亲以这样的命令式口气要求她做事情。想到这里，我心里忽然释然了一些，因为母亲与我成了"同一条战线上的朋友"。

我对母亲笑了笑，说："没事。"

"没事就好。你要是没事的话，可不可以去帮我把衣服晾起来？衣服太多了，我一个人忙不过来。"

相对于父亲的话，妈妈的这些话我听着很受用，于是我爽快地回答说："当然可以。"说完，就走出屋子帮母亲去晾衣服了。

我的同学小鹏，小时候是个很有主见、很有个性、不喜欢被人摆布的男孩子。一般而言，这样的孩子常常会和父母很对立，性格很叛逆。然而，小鹏与父母的关系却非常融洽，他很少在父母面前表现出叛逆。

这是因为，小鹏很幸运，他的父母非常民主。在教育小鹏的过程中，他们一直把小鹏当成跟自己一样的、平等的家庭一员，始终以平等的姿态对待儿子。

小鹏的父母是非常善良温和的人，他们与儿子说话也总是很和气。听我妈妈说，小鹏还在上幼儿园的时候，他的爸爸妈妈就几乎什么事情都要和儿子商量一下。

父母带小鹏去买衣服、买玩具，总要问一下儿子："你是要飞机玩具还是要汽车玩具？""你想要这件蓝色的衣服还是要这件黄色的？"

小鹏要玩玩具的时候，父母会问他："你想玩皮球还是想玩拼图？"

小鹏要出去玩的时候，父母会问他："你想去动物园还是想去公园玩？"

在别的父母看来，小鹏父母这样做很可笑。然而事实证明，小鹏的父母的做法是正确的。正是在父母这种民主教育方式的影响下，小鹏逐渐成长为一个具有好性格、好品德、品学兼优的男孩子。

很多父母会觉得，自己在家里对孩子应该有绝对的权威领导地位，因此，他们要求孩子做某事时，常常只会强硬地命令。这是很多父母容易犯的错误。

而事实上，在要求孩子做某事时，请求和商量比缺乏平等意识的命令更有效。因为请求和商量是在表达"父母尊重孩子的意愿和意见"，而不是把父母的意愿强加给孩子。

在家庭教育中，无论是孩子自己的事情，还是父母要求孩子帮助自己做的事情，父母都应尽量用请求和商量的方式提出要求，这样孩子才更愿意接受。

说说你的意见

——不要唱"独角戏"

父母的话对孩子的行为会造成消极的影响，会让孩子觉得自己的意志被父母掌控着，从而难以发挥主动性和积极性。

桐桐上小学后，我们对她的自理能力提出了更高的要求，除了穿衣吃饭、洗衣等事情外，我们也要求她自己整理书包、整理书桌和房间。

而桐桐也比较乐意独自做这些事情，虽然有时候她做得并不好。

一天，妻子发现桐桐的房间有些凌乱，就对她说："桐桐，你现在已是小学生了，得自己整理好自己的房间，你看你的房间有些乱，这可不像是小学生的房间啊！"

桐桐听了妈妈的话，有些不好意思，于是站起身开始整理房间，妻子则在一旁看着桐桐忙活。

不一会儿，我听到妻子说："你看你，怎么把毛绒小熊放在桌上呢？这个应该放在床上的。故事书不要放在床上，要放在书桌上，你怎么这么笨呢？"

妻子的话让桐桐很尴尬，桐桐僵在了那里，手里拿着一根塑料棒不知道该往哪里放。

"还有，你把书本和文具盒就这样胡乱地堆在这里啊！不能放整齐些吗？"

妻子自说自话，完全不顾桐桐的脸已由晴转阴。最后，桐桐干脆把塑料棒扔在了床上，什么都不做了。

妻子很纳闷："怎么了？我说错了什么吗？"

我听到了妻子刚才说的话，理解了桐桐的表现，就走过去对妻子说："整理房间是桐桐自己的事情，她是主角，她想怎么整理就怎么整理，你这配角就不要在这发表意见了。"

妻子意识到自己说错了话，赶忙对桐桐说了声"对不起"，就退出了她的房间。

• • • ● • • •

同事老刘也曾跟我讲过类似的一件事：

老刘的儿子读小学四年级，是个听话懂事的孩子。

有一段时间，老刘夫妻俩想让儿子报一两个特长班，让儿子学习更多的才能或本领。

那一天，老刘的妻子征询儿子的意见，问他："儿子，你看，很多同学都报了各种特长班或学习班，你也报一两个班吧，不然会影响你的前途。"

儿子没有说话，其实，他也希望自己比别人强，见到同学都报班，他心里也有些着急。

老刘妻子见儿子不说话，猜想他是拿不定主意报什么班好。于是，她对儿子说："你是不是不知道报什么班好啊？"

儿子不置可否。

"你曾说过，你喜欢吹长笛，原来我想给你报个长笛班，但我觉得报长笛班没什么用，考大学又不考这个。你还是报奥数班吧，你数学不好，报奥数可以帮助你，学好数学，对考高中、考大学都有帮助。"

儿子依然不说话，他说不出妈妈说的有什么不对，但又不愿意报奥数班，因为他一直不喜欢学数学。

这件事就在妈妈的自作主张中敲定了，而儿子接下来上奥数课一直都不快乐。

这是很多父母容易犯的错误，本来是孩子自己的事情，父母为了表现自己作为教育者的"权威"，就常常自顾自地发表自己的意见和观点，以此掌控孩子的行为。

虽然有时候，父母这样说话并没有直接插手孩子的事情，但父母的话对孩子的行为会造成消极的影响，会让孩子觉得自己的意志被父母掌控着，从而难以发挥主动性和积极性。因此，父母要避免这种不当的做法。

我上初中的时候，有一次得到了一个参加学校演讲的机会。那是我第一次面对全校师生这么多人展示自己，我有些紧张。

演讲的前一天，为上台时穿什么衣服，我犯愁了，好长时间都拿不定主意。最后，我拿着一套蓝白相间的运动服和一套爸爸年轻时候穿的蓝色中山装去找妈妈讨主意。妈妈分别拿起两套衣服，在我身上比量了一下，看了看，对我说："我觉得，这套中山装，比较正式，而运动服显得活泼些。"

接下来，妈妈沉默了一会儿，又仔细地看了看衣服，然后问我："你觉得呢？你说说你的感受和意见，让我听听看有没有道理，我给你参谋一下，我刚才的意见也不一定对。"

见妈妈这样问我，我思考了一会儿，说："我觉得，这套中山装有些老气，而运动服更适合我们学生穿。"

"对对对，你说的对，就是这种感觉，所以，我觉得你还是穿运动服比较好，这让学生和老师感觉比较亲切。"听了我的话，妈妈急忙说。

这下，我心里踏实了，上台演讲的服装问题就这样解决了。

我后来想，这次演讲我穿哪套衣服，也许我完全可以听妈妈一个人的意见，让她帮助我做决定。但妈妈征求了我的意见，这无意中让我感受到自身价值被认可，感受到了自信。

在与孩子的谈话中，父母总唱"独角戏"，而不允许孩子表达自己的声音，不允许孩子遵循自己的内心声音去做事，这其实是剥夺了孩子的自主性和独立的权利，也必将压抑孩子的个性和潜能。

父母要避免这种说话方式，给孩子表达的机会，让孩子说出自己真实的想法和感受，说出自己的意见。在这个基础上，父母才能找到更有利于孩子成长的教育方式。

把话说到孩子心窝里

第六章

说话不止是动嘴巴，更要动脑筋

不信你试试看

——循循善诱，让孩子口服心服

> 如果父母只是强制孩子去做或不去做某事，而不是想办法让孩子心服口服地去做，常常只会起到适得其反的效果，让孩子心生反感。

一个刚上初一的女孩子曾跟我讲过这样一件事：

有一天，女孩和两个小学时的同学（一男一女）相约晚上去吃肯德基。

这个女孩是个比较守规矩的孩子，她觉得应该把这件事告诉父母。于是，她放学回到家后对妈妈说："妈妈，我的两个小学同学晚上请我吃肯德基，我就不在家吃饭了。"

妈妈听说女儿要晚上出去吃饭，而且还是男同学邀请她，觉得这样很不安全，就不假思索地拒绝女儿说："不行，你不能去。"

女儿不解，问妈妈："为什么不能去啊？他们可是我最要好的朋友。"

"别问那么多为什么，我说不能去就不能去。"妈妈以不容商量的口气说。

"凭什么啊？"女儿对妈妈的管束很不满。

"不能去就是不能去，你给我在家老老实实地待着。"妈妈命令女儿说。

女孩觉得既然答应了人家，就不能毁约，而且她与这两个同学也好久没见了，她真的很想与他们一起说说话、一起玩一玩。可是妈妈却拒绝她去赴约，这让她很恼火。最后，女孩决定趁妈妈不注意偷偷溜出去。于是，趁妈妈在厨房做饭的时候，女孩悄悄溜出家门去赴约了。

妈妈做完饭，发现女儿不见了，就气不打一处来。她勉强吃了几口饭，焦急万分地等待着女儿回家。女儿回家时已是晚上9点多，她还没来得及换拖鞋，妈妈就走上前给了她一个耳光。

这个女孩对我说："因为这件事，我和我妈的关系弄僵了，我们相处再也不像以前那样融洽了。"

很多父母对待孩子很专制，在要求孩子做什么、不让孩子做什么时，往往只是简单地指使、命令孩子。但有时候，孩子并不明白父母为什么这么要求他，不明白这样做或不这样做的原因。

一般来说，孩子只有明确了某件事为什么可以做、为什么不可以做之后，他才会心甘情愿地将该做或不该做的规则纳入自己的内心。

如果父母只是强制孩子去做或不去做某事，而不是想办法让孩子心服口服地去做，常常只会起到适得其反的效果，让孩子心生反感。

青少年教育专家孙云晓曾经讲过一个故事：

一个中国女孩到德国跟妈妈一起生活，她插班到某小学五年级的一个班里。

女孩到了这个小学不久，就有一个德国小男孩宣布他爱上了这个中国女孩。

有一天，女孩生病了，没来上课，这个德国小男孩很难过，上着课就哭了。

老师问他："你怎么了？"

男孩说："中国女孩没来上课，我很难过，我不能上课了。"

老师就对小男孩说，"你很难过，那你先回家吧，回家好好休息一下。"

男孩于是哭着回家了。

回到家，妈妈问男孩："你怎么回家来了？"

男孩回答说："我很难过，那个中国女孩没去上课，我很难过。我很喜欢她，我将来要和她结婚。"

妈妈温和地对男孩说："你喜欢一个中国女孩，很好啊！可是你要和她结婚，你有条件吗？你得有自己的房子才能和她结婚，而且你也得有车，我们德国人得有房有车才可以结婚，你有吗？"

男孩说："我没有。"

"所以啊，你现在得好好学习，将来找个好工作，挣了钱你就有条件买房买车了。到那时，你就可以向中国女孩求婚了。"

男孩听妈妈这样说，觉得有道理，他就又回学校去上课了。

去年初秋的一天，天气已经有些凉了。去幼儿园之前，桐桐一定要穿那条姑姑给她买的连衣裙，那是桐桐非常喜欢的裙子。

一旁的奶奶怕孙女冻坏了，就拒绝道："不行，今天天冷，不能穿裙子。"

遭到拒绝的桐桐不干了，她一把扯过被奶奶夺过去的裙子，硬要往身上套。

妈妈也走上前来，阻止桐桐穿裙子："不行，冻坏了怎么办？"

桐桐有些不高兴，还是死死地抓住裙子不放手，一直想穿上它，但又不敢穿，她是害怕妈妈的严厉。她就这样和妈妈、奶奶僵持着。

也许，在房间里，桐桐可能还感受不到寒冷，自然会觉得穿裙子没什么。

见状，我走上前去，耐心地对桐桐说："你很喜欢这条裙子，很想穿它，是吧？"

桐桐重重地点点头。

"现在是秋天了，裙子是夏天穿的，不是秋天穿的。今天真的很冷，在家里很暖和，但是外面很冷，不信你穿上裙子试试看。"我帮桐桐穿上裙子，想让她出门去感受一下。

我打开了单元门，一股凉风吹了进来。桐桐走出去，在门外站了一会儿，她哆嗦了一下，觉得真是冷了。

"这样的天穿得少了，就会生病，生病后又要打针又要吃药，还不能吃自己喜欢吃的东西，不能玩自己想玩的游戏，多不划算啊！你看我和妈妈都穿着长袖的、厚厚的外套，不然，我们也会冻坏的。"

至此，桐桐不再坚持穿裙子了，她主动脱下裙子，穿上了那件厚厚的毛呢外套。

让孩子做什么事情、不做什么事情，父母不要只是简单地提出要求，最好也要给孩子讲清楚为什么要做这件事，为什么要这样做、为什么不那样做。

温和地跟孩子讲清楚道理，循循善诱地引导孩子，让孩子对父母的要求心服口服，这样家庭教育才会真正起到作用。

这只小狗脏死了

秘笈 54

——一语双关，让孩子自省

如果父母用一语双关的话语指出孩子的问题，孩子的不良情绪就会得到缓冲，他会更容易接受父母的话，不至于产生强烈的对抗情绪和逆反行为。

有一次，我和妻子带桐桐回老家去。邻居家有一只白色的小狗，经常到我们家里来。桐桐很喜欢这只小狗，它每次来，桐桐都要和它玩很久。

一天，那只小白狗又来了。桐桐当时正在吃饭，发现了小狗，她匆匆吃了几口就放下碗筷去逗弄它了。

我们都没有理会桐桐，任由她去和小狗玩。

过了好一会儿，我和妻子、父母都吃完了饭，收拾干净了餐桌，发现桐桐还在院子里和小狗玩。

老家的院子里有一些落叶、煤屑等污物，小狗不停地在地上打滚，且不时地往桐桐身上靠，结果桐桐身上也弄得很脏，尘土、碎屑、煤渣沾了一身。

妻子见桐桐一副脏兮兮的样子，皱起了眉头，对女儿说："哎呀，桐桐，你看你身上，怎么了这是？"

桐桐不理会妈妈，继续和小狗玩闹。

我也凑近桐桐，指着小狗、装出对它很厌恶的表情对她说："你看，这只小狗脏死了，它这么脏，人们肯定不喜欢它，要是它洗干净了，人们就都喜欢它了。"

桐桐看了看小狗，看了看自己身上，不好意思地笑了。她大概明白了我们也不希望她浑身脏兮兮的。

妻子趁机说："来，桐桐，去换衣服，再去洗个澡。"

桐桐很爽快地答应了，跟随妈妈去换衣服、洗澡了。

· · ● ● ● ● · ·

我的妹妹曾跟我讲过这样一件事：

有一段时间，妹妹的女儿芳芳上厕所时经常忘记冲水。每当此时，妈妈就直接提醒她说："你怎么又不冲厕所？""你又忘了冲厕所，怎么这么没脑子？"……

对于妈妈这样的指责，芳芳有些反感。有时她会故意不冲厕所，娘俩不免就会产生矛盾冲突。而且，妈妈这种做法对芳芳改变不冲厕所的缺点也没有太大的作用。

后来，妈妈突然想到了贴在公共厕所里的一句话"来也匆匆，去也冲冲"。于是，她改变了教育策略。

当芳芳再一次忘记冲厕所的时候，妈妈就不再指责她，而是漫不经心地对她说一句："来也匆匆，去也冲冲。"

最初，芳芳没有明白妈妈这句话的意思。后来，她发现妈妈有几次都在她上完厕所的时候说这句话，就逐渐明白了妈妈的用意。

之后，当芳芳再忘记冲厕所的时候，只要妈妈轻轻说一句"来也匆匆，去也冲冲"，芳芳就会会意地与母亲相视而笑，马上回去冲厕所了。

很多时候，父母直接批评孩子做错了某事，直接指出孩子的缺陷和不足，孩子可能难以接受，会觉得很伤面子，甚至会产生消极的对抗情绪。在这种消极情绪的支配下，孩子就可能拒绝执行父母的要求，甚至与父母反着干。

而此时，如果父母用一语双关的话语指出孩子的问题，孩子的不良情绪就会得到缓冲，他会更容易接受父母的话，不至于产生强烈的对抗情绪和逆反行为。

记得在参加中考的前一段时间，因为担心考不上自己期望的重点高中，我很紧张，很容易因为一些小事儿发火。

那段时间，妈妈看出了我的紧张。她知道我一直很要强，付出了很多努力，憋着劲要考重点高中，担心我压力太大，就想办法缓解我的紧张。

她想着法给我做我喜欢吃的饭菜，尽力满足我的每一个小小的要求，经常讲一些笑话逗我笑……

但是，这些对减轻我的压力并没有很大的帮助。

其实那时我心里明白，妈妈可能比我更紧张，因为她对我的期望很大。但她非努力地不让我因为考学而有过大的心理负担。

有一天晚上，妈妈很随意地跟我聊起了天。

谈了一些与学习无关的话题后，妈妈故作轻松地对我说："不要把结果看得那么重，考不上重点，天也塌不下来。你考不上重点，仍然是我优秀的儿子。心爬得越高，离太阳就越近，心里就越容易上火。心里的火大了，就容易烤（考）糊了……"

妈妈的话把我逗笑了，我理解了她的苦心。

之后，我努力试着放松自己，不给自己太大的压力，也不给妈妈太大的心理压力。

在告诫孩子某个道理的时候，父母可以尝试不直白地指责他，结合当时的语境，根据孩子的理解能力和接受能力，用一语双关的技巧表达出自己的期望和要求。

当然，运用一语双关的技巧要考虑到孩子的水平，使孩子能根据父母的话的表面意思悟出深层的意思，达到自省的目的，进而改变自己的行为。

秘笈 **55**

你是不是也想要一个

——锣鼓听声，听话听音

如果父母粗心，仅仅注意到孩子表面的话语，而没有细心思考孩子话语背后的含义，可能就会忽略孩子真正的需求。

我曾经在一本书上看到过这样一个故事：

有一个不到两岁的小男孩，每天晚上睡觉前，他喜欢开着电灯让妈妈给他讲故事，而妈妈则习惯于在给儿子讲故事时把电灯关掉。

一天晚上，妈妈照例关了灯，开始躺在床上给儿子讲故事。

妈妈刚讲了一会儿，儿子突然对妈妈说："妈妈，尿尿。"他想到了每次夜里尿尿时妈妈都会把灯打开。

妈妈奇怪地问："你不是刚尿过吗?"

"尿尿。"儿子继续说。

妈妈只得拧开台灯，披上衣服，给儿子裹上一条小毛毯，抱起他走向卫生间。

到了卫生间，儿子却不尿了。妈妈有些生气，抱着他回到床上，关了灯，继续讲故事。

"妈妈，尿尿。"过了一会儿，儿子又说。

妈妈又一次打开台灯，抱着儿子去了卫生间。

这一次，男孩同样没有尿尿。妈妈有些火了："你这孩子，到底尿不尿?你怎么这么胡闹?"

儿子不说话。

两人回到床上，讲故事的"功课"继续进行，妈妈有些困了，依旧平淡无奇地讲着故事，这常常会是儿子的催眠曲。

可是男孩还是不停地动，一会儿伸胳膊踢腿，一会儿扭动扭动躯体、摆摆头，丝毫没有睡意。

不知过了多久，男孩又请求妈妈说："妈妈，尿尿。"

妈妈又重复了同样的动作，男孩也重复了同样的把戏，依然没有尿。

这一下，妈妈真的火了，她冲着儿子大声嚷起来："你到底尿不尿?"顺手还打了儿子一巴掌。

儿子哇哇大哭，最后他抽泣着说："妈妈开灯讲故事。"

妈妈这时才明白儿子的真正用意，但忙了一天，加上儿子这么一折腾，此时她已筋疲力尽，就很生气地吼道："关灯睡觉!"

说完，妈妈把儿子往床上一扔，关了灯，倒下要睡觉，故事也不讲了。

儿子的哭声在漆黑的夜里响了很久，一直到他哭累了，才肯睡去。

有时候，孩子不会向父母直接提出自己的要求，而会委婉地通过"言他"来表达自己的愿望。

如果父母粗心，仅仅注意到孩子表面的话语，而没有细心思考孩子话语背后的含义，可能就会忽略孩子真正的需求。

在桐桐3岁的时候，有一次，莉莉和她的妈妈来我们家玩，当时，莉莉手里抱着一个会动、会叫的电动小狗的玩具。桐桐看见了，也很喜欢这个玩具。她走到莉莉跟前，伸手摸了摸小狗深黄色的毛，摸了摸它的小尾巴。

然后，桐桐转身对我说："爸爸，这个小狗是黄色的，好漂亮。"

我应了一声："是很漂亮。"

两个孩子跑到了客厅的另一边开始玩起了电动小狗。我和妻子则与莉莉妈开始聊了起来。

一会儿，桐桐跑过来，兴奋地对我说："爸爸，莉莉的小狗会跑，还会叫呢!"

"哦，是吗？那小狗真可爱。"

桐桐又欢快地跑去和莉莉玩小狗了。

又过了一会儿，桐桐又跑过来，指着在地上跑着、叫着的小狗，很认真地对我说："小狗是用电的，开开电源它就会跑、会叫。"

"哦，原来它是用电的啊!"我装作不知道似的，很惊奇地对桐桐说。

"爸爸，小狗还会跳舞呢!"一会儿，桐桐又有了新的"发现"，急忙跑过来告诉我，眼睛里满是羡慕和渴望的眼神。

桐桐望了望还在专心玩小狗的莉莉，又望了望我，接着说："莉莉的小狗很好玩。"

女儿跟我说了那么多关于小狗的话，我突然明白了她小小的心里在想什么了，她一定很渴望拥有这样一只可爱的玩具狗。

于是，我问女儿："你是不是也想要一个啊？"

桐桐把脸转向我，很认真地点了点头。

"那好吧，明天爸爸给你买一个，好不好？"

"哦，爸爸要给我买小狗，爸爸要给我买小狗。"桐桐快活地跑向了莉莉，兴奋地对她说。

我有一个同行的朋友，她的女儿 4 岁了，是个很懂事也很有"公关技巧"的孩子。

有一段时间，为了赶稿子，朋友每天在家里忙于写作，将做饭、洗衣、接送孩子的事情就都交给了丈夫，同时她告诉女儿说："这段时间妈妈很忙，你不要老来打扰妈妈工作，好吗？"

女儿答应了，朋友就把除了吃饭、休息的时间都投入到了工作中。

有一天，女儿从幼儿园回到家，妈妈还坐在计算机前辛苦工作，爸爸开始准备做晚饭，女儿就一个人开始折纸。

折了一会儿，女孩突然想到妈妈已经很久没有陪她玩了，很想让妈妈陪她玩一会儿。但是，她没有直接跟妈妈提出自己的要求，而是试探性地说："妈妈，你累了吗？"

"不累。"妈妈头也不抬地说，眼睛没有离开计算机屏幕。

"你累了吧？妈妈，我帮你捶捶腰吧。！"女孩说，她知道妈妈坐的时间久了就会腰疼。

"我不累，你不要打扰妈妈好不好？"朋友说。

"妈妈你累了，我给你捶捶腰。"说着女孩走上前开始为妈妈捶腰。

心思敏感的妈妈突然明白了女儿的举动，往常，懂事的女儿只要想让妈妈陪她，都会事先问妈妈说："妈妈，你累了吗？"

朋友停止了打字，把头转向女儿："宝贝，你是不是想让妈妈陪你玩一会儿？"

女儿急忙点了点头，脸上出现了开心的笑容。

"好，妈妈休息一会儿，陪你玩一会儿。"

女儿欢呼雀跃，拉着妈妈的手去了客厅，玩起了"鸡吃虫子"的游戏。

对于说话喜欢"拐弯抹角"、含蓄或不善于直接提出自己需求的孩子，他说的话有时并不仅仅只是表面语言所传达的意思，他可能借此想表达另外的

需求。

此时，父母不要仅关心孩子说出来的语言，更要用心思考孩子说这些话背后的含义，学会倾听孩子所说的话的弦外之音，了解孩子的真正需求。然后，父母再用合适的话和行为来应对孩子，这样才有可能把话说到孩子的心里去。

秘笈 56 长白头发才疼呢

——言在此而意在彼

> 父母要避免说话时伤害孩子的自尊，可采用"言在此而意在彼"的方法。这种方法可避免让孩子尴尬，给孩子留面子，不引起孩子反感或反抗。

一位朋友有个13岁、读初中的儿子。他的儿子自从上了初中后就变得很懒，在家不喜欢洗脚，脚总是臭烘烘的。

妈妈不满儿子的臭脚，每天都要求他洗脚，可他总是不情愿。儿子好像闻自己的臭脚习惯了，全然不知妈妈要他洗脚是因为嫌他脚臭。

一天晚上，爸爸和儿子在看电视时，妈妈突然对爸爸说："老公，你上中学的时候，是不是也是很长时间不洗脚，脚很臭啊？"

爸爸有些莫名其妙，不知道妈妈怎么问起了他的陈年往事。他含含糊糊地回答说："啊？啊！"

妈妈又接着说："那跟你住一个宿舍的同学一定很讨厌你，不愿意跟你一起住吧？"她跟爸爸使了个眼色，并朝儿子努了努嘴。

爸爸似乎明白了妈妈的意思，其实他也有点儿讨厌儿子的臭脚。他在沙发上坐正了，很认真地对妈妈说："你说的对，我上中学的时候，脚很臭，同宿舍的人都讨厌我、躲着我。后来一位好心的同学提醒我，我才逐渐养成了勤洗脚的习惯。如果我还是懒得洗脚，脚很臭，估计你就不跟我了，是吧，老婆?"爸爸开玩笑地对妈妈这样说。

这些话被旁边的儿子听了个清清楚楚，他没有说什么，但夫妻俩断定，他们俩的话一定会让儿子受触动。

果然，儿子后来洗脚的次数多了。

有些话题，尤其是一些让孩子感觉羞耻或不容易接受的事情，如果父母直白地跟孩子说，可能会让孩子觉得尴尬难堪，会在心里本能地拒绝父母说的话。

父母要避免说话时伤害孩子的自尊，可采用"言在此而意在彼"的方法。这种方法可避免让孩子尴尬，给孩子留面子，不引起孩子反感或反抗。

我读小学的时候，一个暖暖的午后，我和妈妈坐在屋檐下晒太阳。

我趴在妈妈的肩头上，听妈妈讲那过去的事情。这时，我无意中发现妈妈的头上有了几根白发，于是惊呼："哎呀，妈妈，你怎么有了白头发了啊?"

"哦，是吗? 帮我揪下来吧。"妈妈不疾不缓地说。

我把妈妈的两根白头发揪了下来，并问妈妈："疼吗?"

"不疼。"

我翻了翻妈妈乌黑的头发，又发现了几根藏在黑发中的白发。"还有呢，我都给你揪下来吧!"我一边说着,一边一根一根地往下揪妈妈的白发。

"真的不疼吗?"我又一次问妈妈。

"真的不疼。长白头发才疼呢!"妈妈笑着对我说。

"长白头发疼?"我很不解。

"是啊。你知道为什么吗?"妈妈依然微笑着。

我摇了摇头。

"因为啊,你们要是不好好学习,就可能考不上学,就走不出贫穷的农村。没有真本事,将来生活就会很困难,你们生活得不好,妈妈就容易长白头发,就会心疼,所以长白头发疼。"

我像明白什么似的点了一下头,我知道,那段时间我很调皮,不怎么爱学习,让父母很操心。

那一天,妈妈的话我听进去了,也许是因为妈妈的白发,也许是因为妈妈的话,此后,我就开始认真地学习了。

我和妻子一直教育桐桐,自己的书桌、房间每天早上都要自己收拾整齐。

有一段时间,我的一位朋友送给桐桐的一部游戏机,桐桐整天沉迷于玩这个,常常顾不上收拾书桌、房间。妈妈提醒过她几次,可她却反感妈妈的说教而故意拖延或拒绝执行命令。

妻子有些犯愁,本来早上她已经很忙了,还要为桐桐收拾房间和书桌。

一个周五的晚上,妻子跟我抱怨起了这件事,我对她说:"这件事交给我来处理吧!"

第二天,吃过早饭,我发现桐桐又开始玩起游戏机,她一定又忘记了收拾房间。我突然心生一计,大声对桐桐说:"我听说桐桐每天早上都把自己的书桌、房间收拾得干干净净、整整齐齐,一会儿你让我参观一下吧!然后你来教爸爸怎么收拾书桌,好吗?"

说完,我站起身,招呼桐桐。见我来真的,桐桐不好意思地抬起头,急忙对我说:"我还没收拾房间呢!"

说完,桐桐站起身,快速跑进了自己的房间,我看着妻子笑了笑。

使用"言在此意在彼"的方法，父母要考虑到当时的语境和孩子当时的状况，要避免尖锐地指出孩子的问题，而要含蓄地表达。

当然，使用这个方法也要结合孩子的理解能力，让孩子能够根据表面的"言"悟出话语背后的真正的"意"，从而真正接受父母的建议和劝告。

姥姥跟我说过……

——借人之口，表己之意

> 一般来说，孩子更愿意听他喜欢的人的话，更愿意按照他喜欢的或崇拜的人的要求去做事。

邻居家的女儿妞妞是个 4 岁多的女孩。她从小由姥姥照看。妞妞的父母每天忙于生意，很少有时间在家，更很少陪妞妞。

妞妞跟姥姥的感情很深她们之间的感情，明显胜过了妞妞与父母的感情。妞妞开口闭口就是"姥姥说的""我喜欢姥姥""姥姥好"……这有时让妞妞的妈妈有些嫉妒。

有一次，妞妞妈妈跟我讲了这样一件事：

有一天，姥姥有事回了老家。那天晚上，到了睡觉时间，妞妞死活不肯睡觉，一直嚷嚷着："去找姥姥。"并不时打开家门要出去，都被妈妈拉了回来。

妈妈使尽了浑身解数，又是给妞妞讲故事，又是许诺明天带她去公园玩，又是答应给她买礼物。可是，妞妞始终不为所动，就只找姥姥。

妈妈甚至强行把妞妞抱到了床上，并要给她脱衣服，妞妞就开始伸开胳膊不停地打妈妈，此时此刻，她只要姥姥，什么都不要。

最后，妈妈突然想到了一个办法，就试着对妞妞说："妞妞，妈妈忘了跟你说一件事。姥姥临走时跟我说过，你只要好好睡觉，姥姥过两天就会回来。"

"真的吗?"其实妈妈也不知道姥姥什么时候回来，姥姥只是说处理完家里的事情再回来，但不知道是多久。

"真的。姥姥还说呢，只要妞妞乖乖地睡觉，乖乖地听妈妈的话，她回来时就会给你带一件你喜欢的礼物。"

"哦。"妞妞停止了哭闹，不再那么强烈地要求去找姥姥了。

见女儿态度缓和了，又说："妞妞还是乖乖地睡觉吧! 否则，姥姥要是知道了就生气了。"

妈妈这样劝慰了妞妞很久，妞妞才答应去睡觉。

对妞妞来说，她喜欢的姥姥就是"权威"，姥姥的话就是"圣旨"。

一般来说，孩子更愿意听他喜欢的人的话，更愿意按照他喜欢的或崇拜的人的要求去做事。

根据这一点，父母在要求孩子做某事时，或纠正孩子某个不良行为时，如果孩子不能按照父母的要求去做，父母不妨从孩子很喜欢的其他人的角度给孩子提出要求。

这样，因为孩子与这个人有较深的感情，可能就会按照相应的要求去做事了。

桐桐上了小学不久，开始喜欢上了她的班主任王老师。

王老师是个温和善良、多才多艺、工作认真负责的年轻女教师。在桐桐眼里，王老师"什么都会，什么都懂，对每个小朋友都很好"。

　　每次回到家，桐桐就喜欢对我们说："今天王老师说""这是王老师说的"诸如此类的话。

　　而且，只要是王老师布置的作业，桐桐都会很认真地完成，只要是王老师交代的事情，她都会很认真地去照办。

　　桐桐这种变化，有时候也让曾经在她心里"无所不能"的我有点儿"嫉妒"呢，不过我也感到很高兴，因为这表示桐桐成长了。

　　我摸清了桐桐的脉搏，有时候，桐桐在家不听话，只要我说这是王老师的愿望或要求，她就会乖乖地照做。

　　有一天，妹妹带着女儿芳芳来北京玩，晚上在我家居住。

　　看见芳芳表姐来了，桐桐很兴奋，她很喜欢和表姐玩。一大一小两个孩子一晚上不停地在打闹。

　　马上就要到晚上 11 点了，早已过了桐桐该睡觉的时间，可她还不肯去睡觉。我们好说歹说她都不去睡觉，而且也不要表姐睡觉。

　　过了一会儿，我突然想到了一个办法，就对桐桐说："桐桐，王老师跟我说过，小孩子如果睡觉晚，就会长得很难看，脸会变丑，因为小孩子正在长身体呢！"

　　一听说王老师这么说，桐桐静了下来，没有说话，像是在思考什么。

　　可能"王老师"权威的话起了作用。过了一会儿，桐桐不再那么闹腾，我趁机让芳芳去睡觉，桐桐没有阻拦。

　　妻子趁势对桐桐说："我困了，芳芳姐也困了，王老师这时候在家肯定已经睡着了。你要不要睡觉呢？"

　　最后，桐桐乖乖地去睡觉了。

　　一位网友曾给我讲过的一件她儿子的事情：

　　这位网友的儿子不到 4 岁，刚上幼儿园不久。儿子非常崇拜爸爸，爸爸说什么就是什么。在幼儿园，儿子常跟小朋友炫耀他有一个"无所不能"的爸爸。

而对于妈妈的话，儿子就不会那么"言听计从"了。他甚至经常与妈妈对着干。

有一天，爸爸出差，家里只剩下妈妈和儿子。

爸爸在家的时候，吃过晚饭会和儿子一起玩一会儿。而这一天，爸爸不在家，儿子就有些不习惯了，他一会儿玩一下这个，觉得"不好玩"，一会儿又玩一下那个，觉得"不好玩"。

相对于爸爸，妈妈是个比较苛刻的人，总要求儿子这也不要动，那也不要动。

一会儿，儿子打开电视看了起来。电视上正播放动画片，儿子有一段时间没看动画片了，刚看了一会儿，他就被吸引住了，这样看了很久。

妈妈不希望儿子再看电视了，但无论她说什么，儿子都要看下去。

无奈，妈妈突然想到儿子更愿意听爸爸的话，就给爸爸打了个电话。

妈妈在电话中跟爸爸说明了情况，就把电话交给了儿子："儿子，爸爸要跟你说话。"

不一会儿，儿子又把电话交给妈妈，爸爸对妈妈说："儿子看完这一集就不会再看了。"

果然，这一集动画片播完后，儿子就乖乖地把电视机关了。

在很多年幼孩子的心里，常有一个至高无上的"权威"，这个权威可能是老师，可能是父母或爷爷奶奶等人。

孩子常常相信这个权威是无所不能的，认为这个权威说的话都是对的，对这个权威言听计从。

在教育孩子时，如果孩子不听父母的正确意见，借用这个权威的口表达自己对孩子的要求和期望，也是比较有效的教育方式。

我来给你讲个故事

——巧借故事引导孩子

孩子都喜欢听故事，有趣的故事因其形象、生动，更容易被孩子所接受和理解。

很多小孩子都喜欢吃糖，桐桐也不例外。

在桐桐不到 3 岁的时候，有一次，一位亲戚来我家做客，带来了几斤糖果，他把糖果袋递给了桐桐，笑着对她说："这是给你买的。"

桐桐很高兴地拿着糖果袋跑进了自己的房间。之后，我和妻子都忙着和亲戚说话。过了很长时间，桐桐也没有从房间里出来。

我猜想：这孩子一定还在吃糖果。果然，当我走进桐桐的房间时，发现她嘴里嚼着糖果，双手在摆弄一个玩具娃娃。而地上已经散乱地扔着好几张糖果纸。

我冲桐桐皱了下眉，心理不高兴她一下子吃了这么多糖果。以前，我曾跟桐桐解释过很多次，但她每次见到糖果仍控制不住欲望。

想到这又是一个教育时机，我沉思了一会儿，突然想到小时候读过一个《小熊拔牙》的故事，于是，我对桐桐说："桐桐，爸爸给你讲个故事，好不好？"

听我要讲故事，桐桐很高兴地答应说："好啊，爸爸快讲。"

我开始一字一顿地讲起了《小熊拔牙》的故事，而桐桐则一边嚼着糖果一边看着我：

从前，有一只小熊很喜欢吃甜食。

有一天，小熊妈妈去姥姥家了。

妈妈走后，小熊又跳又叫："今天妈妈不在家，我可以尽情吃我喜欢吃的东西了。"

小熊在冰箱里、柜子里翻找着他喜欢吃的食物。

不一会儿，桌上就堆满了糖果、蜜饯等各种甜食，小熊就坐在桌前开始吃了起来，他吃了很久，直吃得肚子溜圆。

傍晚，小熊开始牙疼起来。他捂着腮帮子，叫喊着："我的牙齿好疼啊！"

刚回家的妈妈忙把小熊送进了医院。医生一看，哎呀，不得了了，小熊的牙齿被小虫子咬坏了，所以会牙疼。医生只得把小熊的坏牙齿拔掉，并问他："你一定吃了很多糖果吧？"

小熊乖乖地承认了。

被拔掉牙齿后，小熊再也不能吃糖果了。

此时，我发现，桐桐停止了嚼糖果，脸上掠过一丝不安，我问桐桐："小熊为什么会牙疼，他的牙齿为什么会被拔掉？"

桐桐不说话。

"为什么呢？"我继续问桐桐。

"因为他吃了很多糖果。"桐桐迟疑了一会儿说。

"对，吃糖果太多，牙齿就会坏掉，牙齿坏了就再也不能吃糖果了。是不是？"

桐桐点了点头，忙把嘴里的糖果吐了出来，递给我说："爸爸，我不吃糖果了。"

我接过桐桐递给我的糖果，笑着说："好，桐桐每天最多只吃一块糖果，好不好？吃多了牙齿就会坏掉。"

"爸爸，我的牙齿会不会坏掉啊？"过了一会儿，桐桐担心地问我。

"不会的，只要你以后不要一次吃这么多糖果，就不会坏掉。"我安慰桐桐说。

这时，桐桐才放松下来。

孩子都喜欢听故事，有趣的故事因其形象、生动，更容易被孩子所接受和理解。对以直观思维为主的小孩子来说，干巴巴地讲道理比故事枯燥、逊色多了，因而没有故事那么容易被孩子接受。

所以，为了让孩子明白某个道理，让孩子更深刻地记住这个道理，父母不妨给孩子讲一个蕴涵这个道理的故事，这比单纯的讲道理有效多了。

桐桐上幼儿园中班的时候，有段时间，很喜欢抢别人的玩具。

有一次，我去幼儿园接她，老师悄悄告诉我："今天，桐桐又抢同班小朋友的玩具，让那个孩子哭了很久。"

听说这件事，我决定教育桐桐改正这个毛病，并用讲故事的方式跟桐桐讲清这个道理。不一会儿，我想好了一个小叮当的故事。

我蹲下来，对桐桐说："桐桐，你想不想听故事？"

"想啊！"

"那好，爸爸给你讲一个小叮当的故事吧！"

"好吧。"

"有一个叫小叮当的男孩，非常调皮，他有一个坏毛病，就是不管在小区里还是在幼儿园，他总喜欢抢其他小朋友的玩具。

一天，小叮当到小区的游乐场里玩儿，那里有很多小朋友。到了游乐场，小叮当发现磊磊在骑童车，就跑过去跟他抢。磊磊见小叮当过来跟自己抢童车，就骑着童车跑了。

小叮当又发现威威在玩陀螺，接着又要去抢威威的陀螺，威威也马上拿起陀螺走了。小叮当又转移目标，可好多小朋友都知道小叮当喜欢抢别人的玩具，看到他走上前来就赶紧跑掉，他们都不愿意和小叮当一起玩了。"

讲完故事，我问桐桐："你说，小朋友为什么不喜欢和小叮当一起玩？"

"因为他抢别人的玩具。"桐桐回答说。

"对，抢别人的玩具不好，别的小朋友都不喜欢。所以桐桐在幼儿园不要抢人家的玩具好不好？不然，他们就不和你玩了。"

"好。"桐桐爽快地答应了。

通过故事给孩子讲清道理，是专门针对孩子的某个问题，将话说到孩子心里去的一个非常有效的方法。

要讲的故事可以是书中的故事，也可以是自己编造的故事。故事的寓意要针对孩子存在的实际问题，而且要让孩子能从故事中受到启发。

如果孩子不能将自己的问题与故事的寓意联系起来，父母要适当地启发他，让他接受故事中的教训，改正不良行为，养成良好的行为。

秘笈**59**

要是不报名的话

——正反对比让孩子悟出道理

父母可以用正反对比的方式，跟孩子讲清做和不做这件事的利与弊，让孩子能从中悟出道理，并能自主做决定。

永健在上小学四年级时，表哥表嫂想让他报名参加奥数班。

可永健不想参加奥数班，表哥表嫂不想强迫儿子接受自己的意愿。两人经过商量，由表嫂跟儿子讲清楚了报和不报奥数班的利与弊，让他自己决定报还是不报。

一天，表嫂把永健叫到了跟前，对他说："永健，我知道你不想在周末参加奥数班，你想在课余时间做自己喜欢做的事，对吧？"

永健不置可否，其实他看到同学很多都报了，好强的他也有些犹豫。

"我帮你分析一下报和不报的好处和坏处，你想一想，自己决定报还是不报，行不行？"

永健点了点头。

"上奥数班，可以提高你的数学能力，帮助你更好地学好数学，对你进入更好的中学有好处。数学成绩好了，你也会更自信快乐，对参加中考、高考都有帮助……"表嫂向永健分析了上奥数班的好处。

"报班不好的地方就是要牺牲你的部分休息时间，你会辛苦一些，你做自己喜欢的事情的时间会减少……"表嫂又向永健分析了不上的好处。

"不过，我觉得这可以锻炼你吃苦耐劳的能力，更何况牺牲的时间可以在平时弥补，比如平时每天可多花半小时去做自己喜欢的事情。要是不报班的话，你会有更多时间做自己喜欢做的事情，可以自由安排你的生活……但数学是你的弱项，如果不想办法提高，就会影响你的总成绩，影响你学数学的信心，也影响你的升学。当然，是不是上奥数班，你自己决定！"表嫂在分析完利与弊后，将决定权交给了儿子。

永健认真地听妈妈分析着，始终没有表态。最后，他对妈妈说："妈妈，你让我再想想。"

过了几天，好强的永健最终对爸爸妈妈说："爸，妈，我要报奥数班！"

这是表哥表嫂所期望的，他们当然欣然同意了。

要求孩子去做某件事情，父母最好不要直接强迫他去做，尤其是对有强烈自我意识的、独立性强的孩子。因为这会打击孩子的自主意识和独立性，反而不利于孩子积极性和潜能的发挥。

有时候，孩子并不明白做某事的原因或好处，这就需要父母耐心地给孩子讲清道理。这个时候，父母可以用正反对比的方式，跟孩子讲清做和不做这件事的利与弊，让孩子能从中悟出道理，并能自主做决定。

邻居飞飞今年上初一，她与好朋友吵架了，两个人谁也不肯让步，她们的关系就这样僵持着。两个从小一起玩耍，一起上学，如今仍在一个班级的好朋友变成了陌路，这让飞飞觉得很别扭。她不知道该怎么办？就来向我求助。

"你很希望和好朋友和好，是吧？"

"当然了。"飞飞回答说。

"那你觉得这次吵架是谁的错呢？"

"当然是她的错了，她不该那么说我，说我胖，让我以后少吃点儿。这让我觉得很没面子，我就骂了她几句。"

"我知道她这样说，你很恼火，心里一定很恨她。但同时她是你最好的朋友，你不想两个人的关系这么难堪，是吧？"

飞飞点点头。

"你有没有想过主动跟她道歉？"

"她的错，凭什么让我道歉让步啊？"

"可是如果她也不肯主动让步怎么办？你们就这样互相不说话？"

飞飞面露愁容。

"其实，我觉得你主动让步也没什么。如果你主动让步，并不会让你丢面子，反而说明你大度。她会因此感激你，可能更愿意与你交往，也会虚心地改正自己的错误。"

"要是你不让步，你们俩的关系就这样僵持着，你心里不痛快，对她的痛恨就会增加，看她就越来越不顺眼，更不想与她和好了。而她呢，可能也会认为你小心眼，看你更不顺眼，更不愿与你来往。时间久了，你们的友谊就真的淡了。"

"可我就是不想先让步。"飞飞无奈地说。

"我知道这对你来说很难，但我可以告诉你，你在这样做的过程中也会有收获，你会明白主动让步和不让步的不同结果。要不你回去先考虑一下，自己做决定好吗?"

我感觉得出飞飞很看重与朋友的友谊，我相信她会做出正确的选择。

同事的儿子，上小学三年级。为了锻炼儿子的自立能力，同事决定不再接送儿子上下学。虽然，他不很放心儿子一个人去上学，因为毕竟儿子才只有8岁，而且他们家到学校的马路上车辆总是川流不息。但他还是打定主意，要求儿子自己去上学。

当爸爸把这一决定告诉儿子时，儿子有些疑惑:"我能行吗?"

爸爸说:"我知道你害怕一个人过马路，但只要你小心些就没事了。要等绿灯亮了再走，过马路的时候要左右看一看车辆……"

"自己上学有很多好处，比如可以和同学一起走，互相交流，加深与同学的感情，也可以锻炼你的自立能力……这样你就能更快地成长为真正的男子汉了。"

"要是我们每天接送你，你是安全了，我们也放心了，你有什么问题也可以随时解决。但这样的话你就很难长大……以后在进入社会后就会遇到更多的困难。况且爸爸妈妈工作忙，没有更多时间接送你。"

听爸爸这么一说，儿子也觉得自己该锻炼一下，于是，他爽快地答应了:"好的，以后我自己去上学。"

在孩子成长的过程中，父母要引导他逐渐明白做某事、不做某事的道理，并教他学会趋利避害地去做有利于自己成长的事情。

无论父母要求孩子做什么事，都应尽量给孩子讲清楚做与不做的利弊，让孩子明白道理，学会做事时趋利避害。

同时，在这个过程中，孩子也学会了这样去分析问题，从而积累更多做事的智慧。

你今天过得开心吗

——问对了问题就找对了路

父母要想了解孩子的学习情况，仅询问学习结果是不行的，而要多与孩子交流学习上的快乐或烦恼，了解孩子的感受和想法，这样孩子才愿意对父母敞开心扉。

一位人到中年的妈妈曾向我求助，说女儿跟她的关系有隔膜。

"我闺女今年14岁了，读初中二年级。她小时候特别喜欢跟我说话，在幼儿园时这样，在小学的时候也这样。那个时候，我和闺女的交流很好，她放学回到家什么话都跟我说。

可是上了初中之后她就变了，很少再跟我像以前那样交流，很多时候我问她话，她也懒得回答。对我的教导也听不进去。现在，我根本不知道她心里在想什么。真是愁人。"

"哦，我想问你，每次都是你主动跟女儿说话吗？"我问这位摇头叹息的妈妈。

"是啊，我们说话，一般都是我主动，她很少主动跟我说话。即使这样，她跟我的话也不多，好像对我的话不感兴趣似的。"

"哦。当你要和她谈学习问题时，你是怎样开始谈话的？"

"怎样开始谈话？这个……我就是问问她考试考了多少分，排多少名，功课做完了没有……问她一些这类的问题吧！"

"孩子有什么反应呢？"

"我好心好意地问她这些问题，是关心她，但她一听到我的话就皱眉头，不愿意跟我说，不知是怎么回事？"妈妈疑惑地回答我说。

"你女儿学习怎么样？"

"学习，不是特别好，她好像有点儿厌学。"妈妈无可奈何地说。

我明白了，怪不得孩子不爱听妈妈的话。女儿十有八九在学习上的压力已经很大了，妈妈又太关注学习结果，女儿肯定更有压力。

想到这里，我对这位妈妈说：

"我给你提一个建议，你回家之后跟孩子说话，别问她考了多少分，排了多少名。孩子的学习压力已经很大了，对自己的学习成绩也很在意，父母过分关心她的成绩会让她反感。你换一种问法，比如，同样是关心学习，你可以问她：你今天学习感觉还开心吗？觉得学习压力大吗？在学习上有没有遇到什么困难？……"

"这么问啊？我很想知道她的学习成绩，如果我不问，感觉不踏实啊！"

"你试试看，说不定有变化。"我自信地说。

过了一段时间，这位妈妈给我打来电话，高兴地对我说："成老师，真是谢谢你，你说的那几句话还真管用，我用那些问话跟孩子交谈后，她还真比以前愿意跟我说话了，也愿意跟我说考试成绩之类的事了。"

"因为你的问话是在关心孩子的感受和想法，关心孩子关心的事情，她当然愿意跟你说了。"

• • • ● ● • •

当前，在传统应试教育的强大影响下，询问孩子的学习成绩成了很多父母与孩子交谈的必不可少的话题。

通过询问了解孩子的学习固然重要，但如何询问却是一门学问。由于种种原因，大多数孩子在学习上大都有很大的压力，若父母只询问学习结果，孩子会感到压力更大。

因此，父母要想了解孩子的学习情况，仅询问学习结果是不行的，而要多与孩子交流学习上的快乐或烦恼，了解孩子的感受和想法，这样孩子才愿意对父母敞开心扉。

不仅在学习上，在其他事情上也是如此。父母要多询问孩子的感受和想法，少询问事情的结果。

桐桐上小学后，有一次，我去接桐桐放学回家，正巧遇见丁丁的爸爸小赵也来接儿子。学校还没放学，我和小赵就聊了起来。他跟我说起了前一天因为一支笔而伤害了儿子的事情：

小赵说："昨天，丁丁上学的时候，将朋友送给我的一支笔带到了学校。那支笔很贵，我很喜欢也很珍惜它。可是，等丁丁放学回到家，他却告诉我他把笔弄丢了。听说笔丢了，我气不打一处来，生气地问他：'你怎么回事啊？你长脑子干什么使的？'我就说了这么两句话，丁丁就赌气不理我了，你说这孩子，真是的！"

沉默了一会儿，我对小赵说："问题就出在你这两句问话上。"

"怎么讲？"小赵不解。

"你这两句话是批评式的责问，很容易让孩子站到你的对立面。你想啊，丁丁也不希望把笔弄丢，丢了笔他也很难过，是不是？但事情已经发生了，他更希望你能理解他。"

"如果发生了这样的事，我该怎么说呢？"

"你要理解他的感受，可以对他说：'笔丢了，你是不是很难过？'当然也

要引导他从这件事情中吸取教训，可以启发他：'你觉得从这件事中能得到什么教训或经验?'"

"哦。"小赵若有所悟。

* * *

通过询问了解孩子，促进孩子的能力和心理发展，是有很多技巧的。在与孩子交谈中，父母只有问对了问题，才能在家庭教育中找对了路。

父母要多问一些开放性的问题，如"你认为怎么样""你的观点是什么""你有什么意见"等，以促进孩子思考和想象。

父母还可多用关怀式提问，少用责备式提问，比如多问"你有什么烦恼""你有什么要求"等等，少问"你怎么回事啊""你的脑子丢哪去了"等等。

这不成了一个优点了吗
——负面的事情正面说

父母要努力发掘挫败可以给孩子带来的机会，让孩子看到挫败的优势，并努力帮助孩子将这种机会和优势转化为他的成功现实。

王金战是全国著名教师，他的很多教育故事在我脑海里都留有深刻的印象。

王金战有一位女学生，是班里的数学课代表。她在小学三年级时学数学受到了伤害，学数学有了障碍，见了数学就打怵，数学考试也总是倒数第一。

而除了数学外，这个女孩其他课程的成绩都很优异。

这个女孩到了王金战所带的班里，女孩的父母请求王老师帮助一下他们的女儿。

王金战了解了女孩的实际情况后，明白她的问题不是出在智力上，而是出在心理上。

在办公室里，王老师问女孩："这次考试你在班里考了多少名？"

"17名。"女孩自责地回答说。

听到女孩这样说，王金战笑了，对她说："哎呀，你真厉害，你看你，这个班里潜力最大的就是你了，你数学都考了倒数第一，总分还在班里排第17名。你这个潜力太大了，你要是数学成绩再上来，你就是全班第一了，谁还有这样一个好的机遇呢？你这不成了一个优点了吗？"

就这样，为了激发女孩的自信心，王金战把女孩数学成绩拉后腿的弱点，变成了一个可以有更大提升空间的优点。

听王老师这样一讲，女孩的心态就调整了过来，她看到了希望，也有了自信。

然后，王老师帮助女孩逐步树立起来自信，引导女孩一步步赶上来，终于她的数学学得越来越好，学数学的精神头越来越大，自我感觉也越来越好，在班级的总排名也越来越靠前。

孩子在日常生活和学习生活中，总会不可避免地遇到让他有挫败感的事情，这会给孩子带来痛苦和伤害，会损害孩子的自信心和积极性。

对此，父母要像王金战老师那样，努力发掘挫败可以给孩子带来的机会，让孩子看到挫败的优势，并努力帮助孩子将这种机会和优势转化为他的成功现实。

7月初的一个周四，桐桐的班主任宣布周末要组织全班同学到野生动物园去游玩，听说要去野生动物园，班里的孩子们都非常兴奋，而喜欢动物的桐

桐当然也不例外。那天回到家，桐桐就急切地将这个消息告诉了我和妻子，并要求妻子提前给她做好旅行准备，帮助她购买矿泉水、面包之类的旅行用品。

可是天公不作美，到了周末，突然下起了大雨，班主任只得打电话给班里所有的孩子，取消了旅行。

旅行取消，桐桐的愿望落空了，她很难过，我看到她的眼里已有了泪花。我有些心疼她，知道她非常想去野生动物园玩。

我走上前，安慰桐桐说："今天不能去动物园，你是不是很难过啊？"

桐桐无声地流下了眼泪，沮丧地点了点头。

我把桐桐揽进怀里，拍了拍她的背，抱了她一会儿。

这时，我突然想起桐桐一直很希望和我下跳棋，只是我总是忙于工作，没有太多时间和她玩。

想到这一点，我急忙笑着对她说："其实，下雨去不了动物园也不是坏事啊！你不是一直想下跳棋吗？今天正好有空，我们就玩跳棋玩个够怎么样？"

听说要玩跳棋，桐桐破涕为笑，急忙跑到房间里去拿跳棋。

我和桐桐开心地玩起了跳棋，不一会儿，她就忘记了没去成野生动物园的不快。

桐桐3岁时，有一天，桐桐看到妈妈回来了，马上热情地拿着一个玻璃杯去给妈妈端水。

那个杯子杯口细，杯肚粗，桐桐的两只小手只握住了瓶口处。结果杯子"啪"的一声掉在地上摔碎了，水洒了一地，也溅了她一身。

桐桐看着一片狼藉的地面，很难过，她似乎为不仅没把水端给妈妈，还把水杯打碎而自责。她看着妈妈不知所措，等待着妈妈的批评。

在女儿刚刚跑去给自己接水的时候，妻子脸上就绽开了幸福的笑容。这时，见女儿不小心打碎了杯子，妻子虽然怔了一下，但脸上依然带着笑容。她赶忙将地上的水和玻璃碎片打扫干净。

忙完这一切，妻子对女儿说："没关系，你给妈妈端水，妈妈谢谢你。"

"可是我没有给妈妈端来水，还打坏了杯子，我做了错事。"桐桐有些委屈地说。

"这怎么是错事呢？你想啊，这次打坏了杯子，下次你就知道怎么做能够不打坏杯子了。你看……"妻子说着从茶几上拿过另一个同样的杯子，示范给女儿如何拿杯子。

"两只手握住这下边，这样就不会掉到地上了。你试试看，再给妈妈接一杯水。"

桐桐接过杯子，学着妈妈的样子，两手握住了杯子的底部，走到了饮水机旁。

"今天桐桐又学会了一项技能呢，知道怎么拿杯子了。"

妻子的话给了桐桐安慰，也给了她信心，她开心地又去给妈妈接水了。

孩子在生活中，总会遇到一些负面的事件，比如失败、挫折、困难、伤害，等等。孩子如何看待和对待这些负面的事件，取决于父母的态度。也就是说，父母在孩子面临这些负面事件的时候如何说、如何做，将会影响孩子对待负面事件的态度和行为方式。

要想让负面的事情成为孩子成长的营养，而不是孩子成长的阻碍，父母要努力把负面的事情正面说，让孩子在其中看到积极的意义。

你来教给妈妈怎么做

——向孩子请教，孩子会努力做得更好

父母向孩子请教，让孩子当自己的"老师"，孩子大都会乐意为之。因为，这让孩子感受到了自己的价值，他会觉得"父母不会的东西，我会，我好棒"，他会觉得有成就感。

有一天晚上，桐桐写作业的时候心不在焉、漫不经心，很不认真。我走到她的背后，发现很多字都写得七歪八扭。我皱了皱眉头，直纳闷：她写着作业，心里在想什么呢？

于是，我就观察桐桐，发现她边写作业，边不时地抬头看看表，或者看看窗外。

我突然想到，雪莉和她的妈妈答应今天晚上到家里来玩，就猜，桐桐是不是在盼望她们的到来呢？

一问桐桐，果然如此。

于是，我对桐桐说："雪莉和她的妈妈还有一个小时才来呢，你看，现在才6点，她们7点钟才来呢！"

为了让桐桐安心写作业，我想出了一招。

"桐桐，爸爸经常用计算机打字，很多字都不会用笔写了。这样，你一边写作业，一边教爸爸也学写你写的生字，好不好？"

桐桐的作业是抄写生字，我拿起她的课本看了看，然后迅速找了一张练习纸和一支笔。

"好的，我们开始了。你念字，你写一个我跟着学写一个。"

"球，足球的球，这么写。"桐桐一边说，一边在写字本上示范给我怎样写"球"字。

我认真地看着桐桐写，然后也在一旁的练习纸上一笔一画地写下了"球"。

桐桐写第二遍第三遍"球"字，我也认真地写第二遍第三遍"球"。

"拔，拔河的拔。"桐桐见我学习很虚心，来了劲，认真地当起了"小老师"。

不一会儿，我们就将十几个生字各抄写了 5 遍。桐桐的语文作业也就完成了。

父母向孩子请教，让孩子当自己的"老师"，孩子大都会乐意为之。因为，这让孩子感受到了自己的价值，他会觉得"父母不会的东西，我会，我好棒"，他会觉得有成就感。

如果父母能利用孩子的这一心理，通过向孩子请教的方式，引导他去做父母希望他做的事情，孩子往往更愿意去做，并能发挥积极性和潜能把它做好。

关于这一点，我想起了小学时候发生的一件事：

我读小学二年级的时候，家族里一个堂哥要结婚。妈妈被叫到堂哥家去帮忙，我也跟着去凑热闹。

到了堂哥家，妈妈被安排与一位大娘一起剪"囍"字。

妈妈最初不会剪"囍"字，大娘就教她怎样剪，我也好奇地跟着学。

大娘示范着剪了一个"囍"字，展开来，大红"囍"字真的很喜庆。

但是，妈妈当时没有马上学会，折了两下就不知道该怎么折了。而我则一下子就学会了，并很快像模像样地剪出了一个"囍"字。

妈妈见状，自嘲地对大娘说："你瞧我，还不如我儿子呢。来，儿子，你来教给妈妈怎么折、怎么剪。"

在外人面前被夸，还被指定为"老师"，我很得意，马上拿了一张大红纸，开始一步一步认真地折起来，折好了，就开始剪，而妈妈就跟着我一步一步地做。

我连续教了妈妈两遍，妈妈才最终学会如何剪好一个"囍"字。

那一天，在表哥家完成了任务回到家，我格外听妈妈的话，妈妈让做什么我就做什么，而且都做得非常好。

同事有个上初中的儿子在家里是个"修理专家"。疏通下水道，修理淋浴莲蓬头，修理漏水的水龙头、不出气的煤气灶等，都是他的拿手好戏。而这主要得益于父母对他最初的"信任"和"求教"。同事跟我讲起过第一次让儿子学习疏通下水道时的情形：

那一天，同时家洗脸池的下水道堵了。妈妈当时正忙着洗衣服，爸爸在打电话。于是，妈妈招呼 14 岁的儿子，对他说："儿子，洗脸池下水道堵了，你可以帮个忙吗？想想办法把它疏通了可以吗？"

正在看电视的男孩听到妈妈的话，急忙赶过来。这是他没有干过的"新鲜事"，他看了看洗脸池里满满的水，思考着对策。

一会儿，男孩拿来一根细铁丝，对着池中的漏水孔捅了捅，不起作用。

然后，男孩蹲下来看着洗脸池下方的下水管道，发现在垂直接入地下的一大段水管的上端，是一段弯曲的塑料连接管。

男孩想了想，找来一个大扳手，要将那段弯曲的连接管卸下来。

男孩刚刚将连接管拧松，池中的水就开始往下漏，于是他拿一个水盆将水接起来。

等男孩将连接管完全卸下来，发现有头发、塑料碎片之类的一团东西堵在了里面，他用铁丝将这些东西掏了出来。

等男孩连接管里的脏污都掏干净了，重新装上去后，下水道果然通了，男孩脸上露出了自豪的笑容。

此后，父母每次遇到此类难题，就"求助"于儿子。用同样的方式，他

们成功地让儿子学会了修理莲蓬头、水龙头等事情，逐渐地，儿子就成了一个技巧娴熟的"修理专家"。

父母向孩子请教，可以是各种问题，比如生活中的各种事情、文化知识等。只要是孩子知道的，只要是孩子擅长的或能够做好的，都可以作为父母向孩子请教的课题。

当然，父母向孩子请教时，要适当地露拙，也就是在孩子面前表现出自己的"无知"和"笨拙"，表现自己不知道这件事或做不好这件事。

这样，孩子才能表现欲，才能有被父母认可的成就感，也会更愿意配合父母和听从父母。

你是不是很喜欢它

——巧妙打开"闷葫芦"的金口

要打开"闷葫芦"的嘴巴，父母可从孩子感兴趣的事物入手，引导孩子谈论这些话题，帮助他逐步表达自己，让他体验到表达的快乐，并在实践中提高表达能力。

小区里有个女孩子名叫敏敏，她曾是个非常内向、自卑的孩子，比桐桐小一岁。

敏敏在生人面前总是不说话，即使见了熟人也总低着头往妈妈身后躲，别人问她话，她也常常闭口不语。

　　敏敏妈妈很为女儿这种"懦弱"的性格犯愁。

　　一天，我和敏敏母女俩在小区里相遇了，敏敏妈妈又跟我谈起了让她"头疼"的女儿。

　　"成老师，你说这孩子怎么办呢？她这种性格以后在社会上怎么混得下去？"敏敏妈妈一脸无奈地对我说。

　　妈妈说这话的时候，敏敏正一手抱着一只黄褐色毛绒小熊，低着头看地上，仿佛自己做错了什么事。

　　我发现，敏敏几乎每次外出都要抱着这只毛绒小熊，这似乎是她最喜欢的玩具。

　　我蹲在了敏敏身边，眼睛看着她，一手指着她的毛绒小熊，问她："你很喜欢这只毛绒小熊吗？"

　　敏敏看着我，没有说话，也没有点头。

　　"我看到你每次出门都抱着它，它真的很可爱。"我继续微笑着对敏敏说。

　　敏敏的脸上出现了一丝笑容。

　　"你是不是很喜欢它？"我又问。

　　敏敏点点头。

　　"是谁给你买的呢？"

　　犹豫了一会儿，敏敏声音低低地回答说："姑姑。"

　　"哦，是姑姑买的啊，真棒。姑姑很喜欢敏敏吧？"

　　敏敏冲着我笑了："嗯。"

　　我站起身，敏敏妈有些惊奇地对我说："她跟陌生人从不说话的，今天真不错，她跟你说了话。"

　　我说："我们经常跟孩子谈她感兴趣的事物，谈她感兴趣的游戏等，少谈她不感兴趣的东西，时间长了，孩子就愿意跟人说话了。"

　　敏敏妈"哦"了一声，决定试一试这个办法。

　　有些孩子在父母看来是"闷葫芦"，很少向周围的人表达自己真实的想法和感受，让人猜不透他的内心。这样的孩子一般与人交流会有障碍，或者是

表达能力欠佳，或者是与人交往或表达自己时心里有顾虑。

人都喜欢谈论自己感兴趣的事物，孩子也是这样。要打开"闷葫芦"的嘴巴，父母可从孩子感兴趣的事物入手，引导孩子谈论这些话题，帮助他逐步表达自己，让他体验到表达的快乐，并在实践中提高表达能力。

桐桐的幼儿园班主任刘老师后来也带过敏敏，她也曾经跟我讲过敏敏的一件事儿。

敏敏在幼儿园里同样话不多，跟谁都基本上没话说，常常一个人躲在一边玩，别人跟她抢玩具，她也不争，只是乖乖地把玩具让给别人，自己去玩别的。刘老师是后来接敏敏这个班的，她发现敏敏非常沉默寡言后，就试图鼓励她大胆地表达自己。

一天，当别的小朋友在教室里打闹的时候，刘老师发现敏敏一个人静静地在座位上画画。

画画是敏敏擅长的事，她画得比大多数小朋友都好。

刘老师走上前，看了一眼敏敏的画，夸赞道："敏敏以前的周老师跟我说，敏敏画得画可好了，今天我看了，真的画得很好。"

敏敏不好意思地笑了。

"刘老师很喜欢敏敏的画，敏敏告诉我，你画的这是什么?"

自己的画受到了称赞，敏敏很自豪，开始回答刘老师的问话，认真地跟

刘老师讲起了她的画。就这样，刘老师和敏敏一问一答，两个人谈了很长时间的画。

我曾经看过这样一期心理访谈的节目，节目的主人公是个8岁的小男孩。他已经很长时间不与人交流了，但在节目现场，心理专家却打开了他的嘴巴。

男孩的爸爸妈妈离婚多年，他被判给爸爸抚养。而爸爸因整日忙于工作，就把儿子托付给了年迈的爷爷奶奶照管。

爷爷奶奶家在农村，生活条件艰苦。男孩到爷爷奶奶家后不久，就开始变得沉默寡言，不爱与人交流，总是一个人待着。

心理专家在和孩子的爸爸、爷爷奶奶交谈后，发现了一个问题——无论是爸爸，还是爷爷奶奶，他们经常只是询问孩子"想吃什么""想玩什么""想要什么"。他们常因为家贫而觉得对孩子有亏欠，就努力用物质来补偿他，尽力满足他的物质需求。

而心理专家只问了男孩一句话："告诉我，你对爸爸妈妈有什么想法，对他们有什么期望或要求？"男孩就开始流泪了，并逐渐说出了自己的心里话。

原来，男孩心里最渴望的，其实是爸爸妈妈能够多关心他，能够经常来看看他，能够经常陪伴他……

孩子的这种心理需求，家人绝没有发觉，也就无从谈到满足了。因此，男孩对爸爸妈妈失望了，逐渐变得沉默寡言。

让"闷葫芦"打开金口，父母除了要多谈论孩子感兴趣的话题之外，还要多谈及孩子擅长的事情、孩子最关心的事情、与孩子的利益密切相关的事情。比如，孩子的烦恼和快乐、孩子最强烈的愿望和需求、让孩子感到快乐的事情等。在孩子心里，这些事情对他来说都是最重要的，也是他最愿意跟人谈起的。

父母要通过观察和思考，了解有关孩子的这些话题，然后从这些话题入手，引导孩子表达自己。

我迷路了

——转换话题巧回避

如果孩子正在关注父母不希望他关注的事物，或正在做父母不希望他做的事情，父母不妨用转移话题的方式让孩子去关注其他事物，回避当前的事物。

一天，我和妻子与几个朋友带着孩子到一家饭店吃饭。吃完饭出来，一位朋友 3 岁的儿子欢快地跑到了前面去。

这家饭店旁边是一家商店，男孩好奇地趴在玻璃橱窗上观看里面的货物，并赖在那里不走了。

原来，男孩发现橱窗里陈列着一个塑料的机器人造型。看到我们走近，男孩抬起头，望着妈妈，用手指了指那个造型，对妈妈说："我要那个。"

妈妈看了看那个造型，嘴里说着这东西没什么用，然后拒绝了儿子。

男孩见妈妈不给他买，就软磨硬泡。妈妈要拖着他走，他死活不肯离开，并开始使出了小孩子经常使用的手段——耍赖。

这时，妈妈突然说："儿子，妈妈迷路了，我们要去家乐福超市怎么走来着？"

这个朋友家就住在附近，据说，她儿子对附近的路和大型建筑等都很熟悉，活脱一个"小地图"。爸爸妈妈常以"迷路"来考验他，男孩对辨认地理位置也非常有兴趣。

听到妈妈这样问，男孩抬起头，离开了橱窗，往四下里望了望。想了一会儿，他一字一顿地对妈妈说："这里有个肯德基，再往前是个宾馆，前面路口右拐就是家乐福了。"

"那从家乐福去我们家怎么走呢？"妈妈继续问。

男孩的兴趣从机器人上转移了，他很认真地回答着妈妈的问话。

在路口，我们几个人分手了，而男孩估计早已将机器人忘到爪哇岛去了。

小孩子的注意力很容易转移，很容易被新的事物、新的兴趣点所吸引。

如果孩子正在关注父母不希望他关注的事物，或正在做父母不希望他做的事情，父母不妨用转移话题的方式让孩子去关注其他事物，回避当前的事物。

这种转换要巧妙，不能带有强迫的性质，而且新的话题需是孩子感兴趣的。

一次，我去一位朋友家商量事情。

朋友4岁的儿子小宝很喜欢说话，不惧生人。见到我来，他赶忙走上前来，拿着一根金黄色的塑料棒，对我说："叔叔，这是我的金箍棒。"

"哦，真不错。"我看了看小宝的"金箍棒"，赞叹道，"可以给叔叔学一个孙悟空的动作看吗？"

小宝很大方地拿着"金箍棒"摆了一下姿势，那样子逗得我们哈哈大笑。

我和朋友落座，一边喝茶一边交谈。

小宝去了房间，不一会儿，他又来到客厅，像想起什么似的说："叔叔，爸爸和妈妈昨天光着屁股抱着，羞羞羞。"说完，小宝对着爸爸用手指在脸上刮了一下。

朋友很尴尬，脸上红一阵白一阵，弄得我也有些不好意思。

朋友脑筋转得快，他马上对儿子说："儿子，你不是会讲故事吗？给叔叔讲个故事好不好？叔叔很喜欢听你讲故事。"

我也趁机附和说："是啊，我听说小宝讲的故事很好听呢，来，给叔叔讲一个吧！"

讲故事也是小宝的本事，他经常在小朋友中间、在父母家人面前有模有样地讲。

得到这样的要求，小宝来了精神，手拿"金箍棒"想了一会儿，然后开始认真地一边表演一边讲起来："自从孙悟空大闹天宫后，被如来佛压在了山下，整整压了五百年呐……"

小宝的表情和动作很可爱，逗得我和朋友哈哈大笑。

在我开始做家庭教育工作之后，我的一位中学女同学给我讲了她初中时发生的一件事：

那时，正赶上我们要中考，全班同学都在紧张地复习功课。

周末，这个女同学放学回到家，发现妈妈的额头上贴着创可贴，嘴角也青了。

见此情景，女儿关切地问："妈妈，是不是爸爸打你了？"她知道父母经常吵架。

"没有，是我自己摔的。早上我去买菜的时候，不小心滑倒了，就把脸和额头蹭伤了。对了，我买了排骨，在冰箱里，晚上我给你炖排骨吃，你不是很喜欢吃炖排骨吗？你把排骨拿出来，化一下冻吧！"妈妈笑着对女儿说。

见妈妈说得很认真，缺乏生活经验的女同学相信了妈妈的话，并飞快地跑去把排骨拿出来放到了厨房里。

实际上，同学的妈妈的确是被爸爸打的，两个人那天刚刚发生了很激烈的冲突。她的嘴角是爸爸用巴掌打青的，而额头是爸爸把她推倒了，她跌落在床头蹭破的。

那段时间，女同学的父母关系恶化，但考虑到女儿正面临中考，两人约定，他们的矛盾不跟女儿透露半个字。

而这一切，女同学到上了高中才知道。

有时候，某些话题，父母不适合跟孩子说；还有时候，在某些场合，不允许孩子问及谈及一些敏感的话题。诸如在孩子大考前不要跟孩子讲影响他考试情绪的消极事件，在公共场合不允许孩子问及谈及别人的缺点、隐私等话题。

此时，父母可就地取材，巧妙地将话题转移到别的事物上，回避当前的话题。

同事的女儿高考落榜了

——旁敲侧击巧劝诫

采用言说他人他事的方式，在讲述他人他事的过程中表明自己的观点，旁敲侧击地启发孩子注意相应的问题，往往能达到更好的效果。

有一段时间，表嫂发现儿子永健和一个同班的女孩走得很近，两个人经常一起上下学，周末有时还一起出去玩。

表嫂发现这一情况后，有些着急，担心儿子陷入"早恋的泥潭"，影响学业，但又不知道该怎么办。于是，她来向我讨教防止儿子"陷入泥潭"的方法。

我看出了表嫂的焦急，劝她不要过度紧张，过度紧张反而可能会将事情搞糟。

因为，青春期的孩子与异性交往较多，很多时候他们交往其实都是正常的，但可能因为父母的过度关注，反而有可能"弄假成真"。

我提出，由我来跟永健谈谈这个问题，表嫂答应了。

一次，我跟永健随意聊起了天，聊了班里的"奇闻"、老师的"糗事"、同学的趣事。

很自然地，我转到了中学生恋爱这个话题上。我发现，永健对这个话题很感兴趣。

"你们班肯定也有谈恋爱的吧?"我问永健。

"有啊，这不是什么新鲜事了。"

"是啊，在中学阶段，男女生对异性产生好感是很正常的，渴望与异性交往是这个年龄段孩子的正常心理需求。如果哪个男孩或女孩没有在心里喜欢过某个异性，那才是不正常的。"

永健听了频频点头，笑着说："这一点，我非常同意，你看我们班的男生，就喜欢跟女生套近乎，而女生也大多喜欢和男生玩闹。"

"是吗?那你心里有没有喜欢过哪个女生?你喜欢什么类型的女生呢?"

"我喜欢文静一点儿的、脾气好一点儿的、个子高挑的女生。"

我和永健就这样一句接一句地开心地交谈着，当然，我心里没有忘记表嫂的"嘱托"。

为了完成表嫂的"嘱托"，我觉得该进入"正题"了。

于是，我跟永健谈起了我一位同事的女儿的事情。

"我一个同事的女儿跟你年龄相仿。去年夏天，她本来可以考取一所重点大学。因为她平时的学习成绩在班里总是数一数二的……"

永健喜欢关心同龄人的话题，关于这个女孩的故事也引起了他的兴趣。

"可是这个女孩最终的高考结果却让所有的人大跌眼镜。因为这个被父母和老师寄予厚望的'高才生'，最后连专科分数线都没有达到。"

"啊?太可惜了，为什么啊?"

"为什么，说出来不知道你相信不相信。这个女孩进入高三后开始和一个男孩谈恋爱。在高考前夕，男孩借口回老家参加高考，提出和女孩分手。其实，他早就厌烦了和女孩继续交往。女孩被男友抛弃了，一时接受不了，学习情绪马上低落下来，高考时受到了影响，落榜了……"

"真的很可惜，这么优秀的一个女孩。"

"是啊！"永健附和道。

"所以，我觉得，在中学阶段还是不要谈恋爱好，即使与异性交往，也要把握好交往的度。因为这个时候人的情感多变，也很脆弱，遭遇挫折后会对生活、学习有很大的影响。再说了，等考上了大学，我们会发现，优秀的女孩会有很多，我们选择的余地会更大，你说呢？"

永健只是点头，没再说什么。

永健是个聪明孩子，我知道他会从这些话中明白一些道理，也会借此努力把握好自己。

如果表嫂发现儿子与女孩交往过密，因为担心，而直接告诫他不要早恋、不要因此影响学业，永健可能就会反感。因为这个年龄的孩子往往比较叛逆，父母直接的告诫和劝导，很多时候起不到应有的效果，反而会将事情弄糟。

而采用言说他人他事的方式，在讲述他人他事的过程中表明自己的观点，旁敲侧击地启发孩子注意相应的问题，往往能达到更好的效果。

同事小张曾跟我说起她和丈夫治女儿睡懒觉的妙招：

小张的女儿佩佩读小学二年级，有一段时间，女儿比较喜欢睡懒觉，有时候马上要迟到了，她还不起床。

有一天，佩佩又赖在床上，小张喊了她几次，她依然躺在床上哼哼唧唧不愿起床。

见女儿还在睡觉，小张就大声对丈夫说："我的同事有个 7 岁的儿子，这个男孩每天都会受到老师的表扬，你知道为什么吗？"

"为什么？"丈夫好奇地问。

"因为啊，这个男孩每天都很早就去学校，然后帮老师做打扫卫生啊收发作业啊之类的事情。"小张对着丈夫朝女儿努了努嘴。

"哦，是这样啊！那他的儿子早上不睡懒觉吧？"丈夫好像突然明白了小张说这些话的缘由，也大声问。

"那个小男孩很懂事，懂事的孩子一般都不睡懒觉，因为要是睡懒觉，他上学就会迟到，这样送他去上学的爸爸妈妈上班就会迟到，他迟到还会影响老师讲课，影响同学听课。你看，一个孩子要是睡懒觉，就会影响爸爸妈妈、老师和同学。这样多不好，所以说，睡懒觉的孩子不是懂事的孩子。"

小张故意说得很大声，她知道女儿自尊心强，她希望成为一个懂事、讨人喜欢的好孩子。这时，小张发现，佩佩半睁半闭着双眼，她一定听到了爸爸妈妈的对话。

不一会儿，佩佩睁开了眼睛，一骨碌爬了起来，开始穿衣服。

很多孩子自尊心很强，对别人的评价和看法也特别敏感。但由于他们还不成熟，不免会做错事、走弯路。此时，父母如果过于直接地告诉孩子要做某事、不要做某事，可能会使孩子反感，使教育起到反效果。

所以，在要求孩子做某事时，父母要保护他的自尊心，可采用述说他人他事的方式，旁敲侧击地引导孩子去做该做的事情，而避免去做不该做的事情。

要是妈妈按你说的做

——将球踢给孩子

> 在孩子不执行父母的要求时，父母可以把"球"踢给孩子，给孩子提出问题，让孩子通过思考决定做还是不做。

有一段时间，桐桐总是晚上不肯睡觉，早上起不来床。

一个周日，桐桐因为白天在外玩得十分开心，到了晚上又兴奋得不肯睡觉了。

在我和妻子都洗漱完毕准备睡觉的时候，桐桐还在蹦蹦跳跳地玩沙包。

这一次，我不准备再给桐桐讲要早睡觉的道理了。我只是向她提了一个问题，我问她："桐桐，你想一想，你要是晚上睡觉晚的话，会出现什么后果？"

"什么后果？"桐桐回答不上来，沉默了很长时间，不知道我为什么问这样的问题。

"你要是睡觉晚，会不会早上起不来床？"我启发桐桐说。

桐桐只是笑，她有过这样的经历。

"起不来床会怎么样呢？"

"会来不及洗漱、吃饭，会上学迟到，会因为迟到受老师的批评，有时候还要罚站。"桐桐想了一会儿，对我说。

"你愿意迟到，愿意被老师批评、罚站吗？"我问。

桐桐摇了摇头。

"那就早点儿睡觉吧!"我趁机说。

桐桐只得回房间去睡觉,虽然还有些不情愿。

有时候,父母直接要求孩子去做什么或不去做什么,孩子可能并不愿意执行父母的指令。因为这常常只是父母自己的意愿,而不是孩子的要求。

如果孩子有了独立思考的能力,父母最好就不要再这样直接去要求孩子,而应给孩子提出相关的问题,让他独立去思考,让他通过思考明白这么做或不这么做的原因。

也就是说,在孩子不执行父母的要求时,父母可以把"球"踢给孩子,给孩子提出问题,让孩子通过思考决定做还是不做。

桐桐的幼儿园老师刘老师有一个不到4岁的女儿叫甜甜,上幼儿园中班。在互相交流孩子的教育问题时,刘老师跟我说过这样一件事:

一次,甜甜感冒生病了,不能去幼儿园,刘老师把她留在家里,让姥姥照顾她,而她自己准备去上班。

甜甜听说妈妈还要去上班,有些不高兴,缠着妈妈说:"妈妈不去上班,妈妈在家陪我。"

"姥姥在家陪你就好了,妈妈必须去上班。"刘老师劝甜甜说。

"妈妈不上班了,我要妈妈陪我。"甜甜双手抱住妈妈的腿,不让她走。

刘老师没有生气,她蹲下来,耐心地问甜甜:"你说,妈妈上班要去干什么?"

甜甜想了一会儿,回答说:"妈妈上班去挣钱,要去照顾小朋友。"

"那如果妈妈按你说的做,不去上班了,会怎么样呢?"刘老师继续问甜甜。

甜甜不说话了,她明白这个道理,她以前和妈妈讨论过这个问题。

"妈妈不去上班,你说会怎么样呢?"刘老师耐住性子,又一次问女儿。

"妈妈不去上班，就挣不不了钱，就不能给我买衣服和玩具。妈妈不去上班，小朋友就没人陪，没人给他们讲故事，他们会寂寞。"过了好一会儿，甜甜才说。

"对啊，所以妈妈还得去上班啊！甜甜有姥姥陪就够了。"刘老师笑着说。

"那好吧！"甜甜有些不情愿地说。

"甜甜真懂事。"刘老师亲了甜甜一口，准备去上班了。

小区的广场上有几个儿童游乐设施，有滑梯、跷跷板、秋千等。桐桐小的时候，非常喜欢到那里去玩滑梯。

一天下午，我带4岁的桐桐去广场玩，当时，已经有三位妈妈带着各自的孩子在滑梯旁玩。

那几个孩子都比桐桐小，有两个三四岁的孩子，还有一个孩子才1岁多、刚刚学走路。

桐桐离着还很远，就飞快地跑过去，开始在滑梯上滑上滑下。桐桐的个头比那几个孩子都大，滑滑梯也熟练、快速、灵活得多。

不一会儿，桐桐就几乎霸占了滑梯。常常是另外两个孩子已站在了滑梯的入口，桐桐却从后面把那两个孩子推到一边，自己抢先一步上去了，而那两个孩子只得站在旁边看着。

看到桐桐的这种行为，我有些生气，忙走上前，把她拉到一边，问她："这个滑梯是谁的？"

桐桐说不上来。

"这两个弟弟妹妹可不可以玩滑梯？"我继续发问。

桐桐不说话。

"如果你总是这样一个人玩，不让弟弟妹妹玩，他们会怎么想、怎么做？"

桐桐看了看那两个孩子，想了一会儿说："他们会不喜欢我，他们会生气，会不再和我一起玩了。"

"对啊，所以你不能这样总一个人玩，也得让他们玩，这样他们才会喜欢你。"我说。

桐桐歉疚地看了弟弟妹妹一眼，好像在说："你们玩滑梯吧！"

我忙对那两个孩子说："玩吧，你们一起玩。"

父母在说话中把"球"踢给孩子，就是把问题抛给孩子，把解决问题的权利交给孩子，让他通过自己的思考解决问题。孩子该做什么事，该怎样去做，父母不替孩子做决定，而是询问孩子"要是这样做会怎么样""要是不这样做会怎么样"，让孩子主动去思考，并根据自己的思考做出决定。

当然，在这个过程中，父母要给予孩子有益的引导，引导他走向正确的方向。